À PLUS 3

MÉTHODE DE FRANÇAIS POUR ADOLESCENTS

Livre de l'élève + CD

AUTEURS

Katia Brandel

Antony Sevre

Virginie Karniewicz

EDITIONS

maison des langues

www.emdl.fr/fle

Avant-propos

À PLUS 3 est né d'une conviction profonde : la motivation doit être au centre de tout apprentissage. Notre objectif est donc de susciter l'intérêt des apprenants tout en leur transmettant le plaisir d'apprendre grâce à une méthode riche en activités variées et motivantes.

Choisir **À PLUS 3**, c'est choisir :

- une démarche résolument actionnelle, centrée sur l'apprenant ;

- une réelle prise en compte des centres d'intérêt des jeunes d'aujourd'hui, pour favoriser la participation active de l'apprenant ;

- des outils lexicaux, grammaticaux et phonétiques mis en place de manière naturelle et pertinente, permettant de développer efficacement les compétences ;

- des activités variées et ludiques, ainsi qu'un jeu dans chaque unité, pour des cours dynamiques et vivants ;

- des documents aux supports variés (textes, audio, vidéo) pour une immersion dans le quotidien des adolescents francophones ;

- des notes culturelles pour éveiller la curiosité de l'apprenant et des stratégies pour développer ses compétences et son autonomie.

C'est pour cela qu' **À PLUS 3** est un ouvrage où le plaisir et la motivation sont les moteurs d'un apprentissage à la fois agréable et efficace.

La maison d'édition

À PLUS 3

	Projet final	Objectifs de communication	Outils lexicaux
Unité 1 **En route !** p. 9-22 	Faire un reportage sur un lieu qu'on aime	• Décrire des lieux • Exprimer des souhaits, des envies • Parler d'activités de vacances • Raconter un voyage ou des vacances	• Les lieux et les destinations • Les activités de loisir • Les objets utiles en voyage/vacances
Unité 2 **Réseaux** p. 23-36 	Présenter le réseau d'un personnage de série ou de film	• Parler du caractère de quelqu'un • Exprimer des sentiments • Donner des conseils (1) et faire des suggestions • Décrire des relations, des liens entre les personnes	• Les traits de caractère • Les relations de voisinage • Les liens familiaux et amicaux • Les genres des films et séries télévisées
Unité 3 **La forme ?** p. 37-50 	Créer une fiche pratique de bien-être	• Échanger sur des habitudes, des styles de vie différents • Parler de santé et de bien-être • Exprimer des buts et des oppositions • Donner des conseils (2) et des indications pratiques	• L'alimentation • Les poids et les mesures • Les parties du corps • Le sport • Le sommeil
Unité 4 **Notre cinéma** p. 51-64 	Réaliser un court-métrage	• Décrire des espaces et des objets • Écrire un synopsis • Indiquer la manière de faire une action • Exprimer des émotions	• Les vêtements et accessoires • Les métiers du cinéma • Les gestes • Les émotions
Unité 5 **Engagés** p.65-78 	Lancer une initiative collective	• Évoquer l'importance d'un problème • Expliquer des causes et des conséquences • Donner son avis et débattre • Parler de moyens d'agir et d'alternatives	• Les pourcentages • Les collectifs : *la plupart, la majorité...* • Problèmes et solutions • Engagement et actions collectives
Unité 6 **Faites du bruit !** p. 79-92 	Organiser un marché aux chansons	• Parler de ses pratiques culturelles • Argumenter et nuancer une opinion • Utiliser des images et métaphores • Présenter et partager des chansons	• Les pratiques culturelles • La musique et les chansons • Les images et métaphores

Outils grammaticaux | Phonétique | Mag.com | Jeux

PAGE D'OUVERTURE

Une page d'introduction qui expose simplement et clairement le projet final et les objectifs de communication de l'unité.

3 DOUBLES-PAGES DE LEÇON AUTOUR D'UNE THÉMATIQUE

Un fonctionnement en double-page pour une construction efficace des compétences de l'apprenant.

Des amorces de productions écrites et orales pour guider l'apprenant tout en favorisant son autonomie.

Des icones claires pour signaler les compétences travaillées.

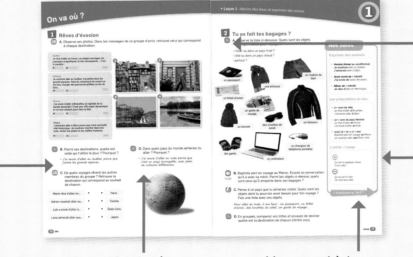

Une colonne d'outils avec des tableaux clairs et des exemples pour expliquer à l'apprenant le point de grammaire traité dans la double page.

Une mise en avant constante de l'oral, pour favoriser la prise de parole en classe.

Un renvoi à la page « Nos outils »

Des stratégies pour aider l'apprenant à la réalisation de l'activité.

Des notes socio-culturelles pour éveiller la curiosité de l'apprenant et le sensibiliser à la culture francophone.

Des notes de vocabulaire pour que l'apprenant enrichisse progressivement son lexique.

DOUBLE-PAGE « NOS OUTILS »

Des explications complètes des points de grammaire abordés dans l'unité pour développer une règle, insister sur l'usage et présenter des exceptions.

Des exercices et des activités en contexte pour systématiser les points de grammaire et rebrasser le lexique de l'unité.

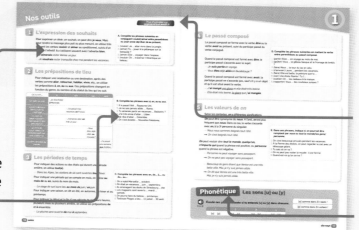

Un renvoi vers l'espace virtuel où l'apprenant peut s'entraîner avec des activités autocorrectives.

Des activités de phonétique.

MAG.COM ET MAG.TV

Une double-page de magazine présentant de manière ludique des aspects culturels et sociologiques des réalités francophones.

NOTRE PROJET FINAL

Un projet collectif final permettant de mobiliser les compétences de l'unité, présenté en trois étapes.

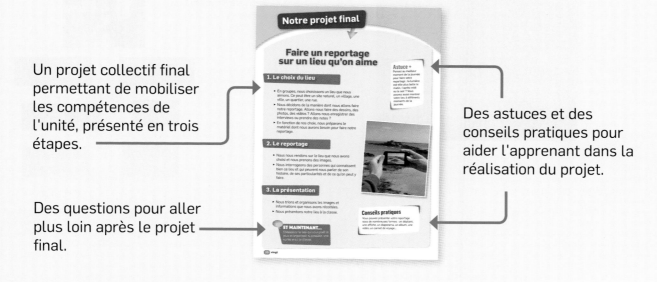

Des astuces et des conseils pratiques pour aider l'apprenant dans la réalisation du projet.

Des questions pour aller plus loin après le projet final.

EN FIN D'UNITÉ, UN JEU

6 pages de jeux : une page par unité pour apprendre et réviser en s'amusant.

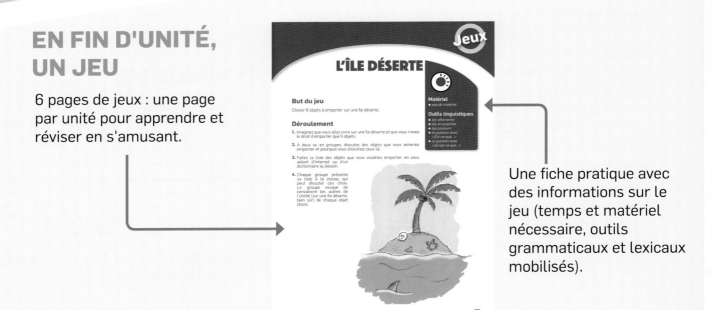

Une fiche pratique avec des informations sur le jeu (temps et matériel nécessaire, outils grammaticaux et lexicaux mobilisés).

TOUTES LES DEUX UNITÉS

Une page de **Test** sur l'ensemble des contenus vus dans les unités précédentes.

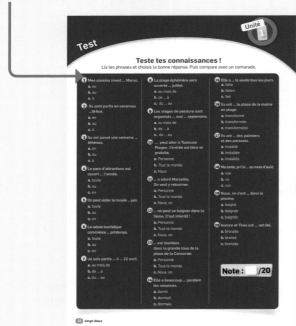

Une page de **Bilan** pour faire le point sur son apprentissage.

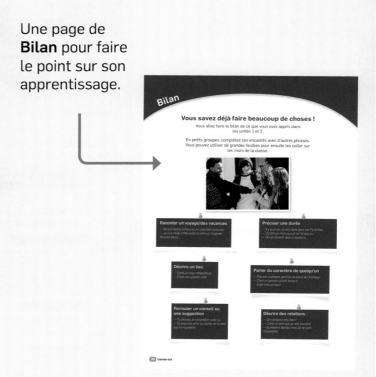

Unité **1**

En route !

Notre projet final

Faire un reportage sur un lieu qu'on aime

Dans cette unité, nous allons...

- décrire des lieux
- exprimer des souhaits, des envies
- parler d'activités de vacances
- raconter un voyage ou des vacances

On va où ?

1 Rêves d'évasion

 A. Observe ces photos. Dans les messages de ce groupe d'amis, retrouve celui qui correspond à chaque destination.

Audrey
Je rêve d'aller en Corse. Les plages sauvages, les paysages magnifiques, la mer transparente... C'est le paradis !

♥ 💬 •••

Sofiane
Je voudrais aller au Québec, me perdre dans les grands espaces. Faire du camping et du canoë sur les lacs, manger des guimauves grillées au feu de bois...

♥ 💬 •••

Maeva
J'ai envie d'aller à Bruxelles, la capitale de la bande dessinée ! C'est une ville super dynamique et un bon endroit pour faire la fête.

♥ 💬 •••

Pierre
J'aimerais aller à Dijon parce que c'est une belle ville historique. Je voudrais marcher dans les rues, visiter les palais et les vieilles maisons.

♥ 💬 •••

B. Parmi ces destinations, quelle est celle qui t'attire le plus ? Pourquoi ?

• *J'ai envie d'aller au Québec parce que j'aime les grands espaces.*

 C. De quels voyages rêvent les autres membres du groupe ? Retrouve la destination qui correspond au souhait de chacun.

D. Dans quel(s) pays du monde aimerais-tu aller ? Pourquoi ?

• *J'ai envie d'aller en Inde parce que c'est un pays incroyable, avec plein de cultures différentes.*

2 Tu as fait tes bagages ?

 A. Observe la liste ci-dessous. Quels sont les objets indispensables pour voyager...

- l'hiver ou dans un pays froid ?
- l'été ou dans un pays chaud ?
- partout ?

un maillot de bain

un passeport

une écharpe

un billet d'avion

un guide de voyage

un blouson

un bonnet

des lunettes de soleil

des gants

un chargeur de téléphone portable

un ordinateur

 B. Baptiste part en voyage au Maroc. Écoute la conversation qu'il a avec sa mère. Parmi les objets ci-dessus, quels sont ceux qu'il emporte dans ses bagages ?

Piste 01

 C. Pense à un pays que tu aimerais visiter. Quels sont les objets dont tu pourrais avoir besoin pour ton voyage ? Fais une liste avec ces objets.

Pour aller en Inde, il me faut : un passeport, un billet d'avion, des lunettes de soleil, un guide de voyage...

 D. En groupes, comparez vos listes et essayez de deviner quelle est la destination de chacun d'entre vous.

Nos outils

Exprimer des souhaits

- **Vouloir/Aimer au conditionnel**
  – *Je voudrais* aller au Québec.
  – *J'aimerais* aller à Dijon.

- **Avoir envie de + infinitif**
  – *J'ai envie de* visiter Bruxelles.

- **Rêver de + infinitif**
  – *Je rêve d'*aller en Martinique.

Les prépositions de lieu

- **à + nom de ville**
  – *Je rêve d'aller **à** Bruxelles.*
  – *J'aimerais aller **à** Dijon*

- **en + nom de pays féminin**
  – *Je rêve d'aller **en** Corse.*
  – *J'ai envie d'aller **en** Inde.*

- **au(x) (à + le ou à + les)**
  – *Baptiste part en voyage **au** Maroc.*
  – *Je voudrais aller **aux** États-Unis.*

L'utilité, l'usage

– *Ça sert à quelque chose.*
– *C'est utile !*

– *Ça ne sert à rien.*
– *Ce n'est pas utile.*

+ d'activités ▶ p. 16-17

À chacun ses vacances

1 Vacances dans les Pyrénées

 A. Lis les descriptions de ces quatre stages de vacances et retrouve à quel public s'adresse chaque stage.

| pour les gourmands | pour les sportifs | pour les scientifiques | pour les artistes |

PYRÉNÉES VACANCES

(RE)DÉCOUVREZ LES MONTAGNES DU SUD-OUEST DE LA FRANCE

STAGE GASTRONOMIQUE

Régalez-vous avec les spécialités du sud-ouest ! Ne partez pas sans avoir goûté le fromage de brebis d'Iraty, le confit de canard et le gâteau basque. Des ateliers cuisine sont proposés aux futurs chefs toute l'année.

SPORTS DE MONTAGNE

Dans la vallée des Gaves, en juillet et en août, vous pouvez vous envoler en parapente, escalader des rochers et descendre des torrents de montagne en rafting. Aventures et sensations fortes garanties !

ATELIERS ARTISTIQUES

Au mois de juillet, venez peindre et dessiner des paysages magnifiques dans la vallée d'Ossau. Découvrez la calligraphie au bord des lacs sauvages et ne ratez pas le lever du soleil sur les sommets.

DÉCOUVERTE DE L'ASTRONOMIE

Venez explorer l'univers à la Ferme des étoiles, au pied du pic du Midi. De mai à septembre, vous observerez le ciel avec les appareils les plus pointus : télescopes géants et cartes du ciel interactives. Pour rentrer à la maison avec des étoiles plein les yeux...

 B. Pendant combien de temps ces stages sont-ils proposés ? Trouvez dans le texte la période qui correspond à chacun.

| un mois | deux mois |
| cinq mois | douze mois |

 C. Et toi, parmi les 4 stages proposés, quel est celui que tu choisirais ?

J'aimerais faire le stage de sports de montagne parce que je rêve de faire du parapente.

2 L'été à Paris

Piste 02

A. Solène téléphone à son amie Kenza. Écoute leur conversation et coche les activités qu'elle a faites.

- ☐ Elle a fait les magasins.
- ☐ Elle a pique-niqué à Montmartre.
- ☐ Elle a pris le bateau-mouche.
- ☐ Elle a visité le Musée du Louvre.
- ☐ Elle a mangé des macarons.
- ☐ Elle a bronzé à Paris Plages.
- ☐ Elle est montée en haut de la tour Montparnasse.

 B. Et vous, qu'avez-vous fait pendant les vacances ? Ensemble, faites la liste de toutes vos activités et faites le « top 5 » des activités de vacances de la classe.

C. Quelles activités avez-vous faites dans votre ville ou dans votre région ? En groupes, discutez des activités que vous pourriez conseiller à des amis en visite dans votre ville.

- *Je conseille à tout le monde d'aller au parc d'attractions. J'ai déjà fait tous les jeux et ils sont supers !*

Nos outils

Les périodes de temps

- **Au mois de + mois**
  - *Au mois de juillet, faites un stage d'art dans la vallée d'Ossau.*
- **En + mois**
  - *Dans la vallée des Gaves, en juillet et en août, vous pouvez vous envoler en parapente.*
- **De... à...**
  - *De mai à septembre, vous observerez le ciel avec les appareils les plus pointus.*
- **Tout(e)**
  - *Des ateliers cuisine sont proposés aux futurs chefs toute l'année.*

Le passé composé avec *avoir*

- **Verbe sans objet**
  - *Elle a bronzé.*
- **Objet après le verbe**
  - *Elle a fait les magasins.*
- **Objet avant le verbe**
  - *Ils m'ont emmenée à la tour Montparnasse.*

+ d'activités ▶ p. 16-17

LE SAIS-TU ?

Pendant les vacances, les activités préférées des Français de 18 à 24 ans sont : se promener, se reposer, faire la fête, faire un bon repas avec la famille ou les amis, visiter une exposition ou un site culturel et bronzer.

Source : CSA 2015

1 Souvenirs de vacances

 A. Observe ces objets. D'où viennent-ils ? Quel est l'intrus ?

 B. Lis cet échange de messages. Qui est en voyage ?

> Hé Lauriane, t'es où ?
> 15:11 ✓✓

> Je suis en Suisse avec Juliette. On a fait du vélo au bord du lac Léman pendant une semaine. C'était trop bien ! On rentre demain.
> 15:12 ✓✓

> Tu veux quoi de Suisse ?
> 15:13 ✓✓

> ...Euh, une montre suisse ?
> 15:14 ✓✓

> Non, c'est une blague. J'ai pas d'idée...
> 15:14 ✓✓

> Nous, c'est sûr qu'on va rentrer avec des chocolats. Tu nous connais : on est super gourmandes ! D'ailleurs, je me suis offert un couteau suisse. C'est pratique pour pique-niquer. Et toi, tu veux quoi ?
> 15:17 ✓✓

> Rapportez-moi ce que vous voulez.
> 15:18 ✓✓

> C'est l'intention qui compte.
> 15:18 ✓✓

> ...sauf des chocolats fondus !
> 15:19 ✓✓

> ☺ ☺ ☺
> 15:20 ✓✓

 C. Que vont-elles rapporter de leurs vacances en Suisse ? Retrouvez-vous ces objets ci-dessus ?

D. Avez-vous déjà rapporté ou vous a-t-on déjà rapporté des souvenirs de voyage ? D'où viennent-ils ? Parlez-en à deux en vous aidant de cette liste.

- un **magnet**
- un **porte-clés**
- un **sac**
- un **mug**
- un **tee-shirt**
- une **boule à neige**
- des **cartes postales**
- des **chocolats**
- ...

• *J'ai une boule à neige avec la statue de la Liberté dedans. C'est ma cousine qui me l'a rapportée de New York.*

1

2 Mes vacances à Marseille

 A. Noémie écrit à son ami Esteban pour lui raconter ses vacances. Lis son mail puis réponds par *Vrai* ou *Faux*.

Supprimer   Indésirable   Répondre   Rép. à tous   Réexpédier   Imprimer

De : noemie@aplus.fr
Objet : vacances à Marseille
Date : 5 septembre
À : esteban@aplus.fr
Cc :

Salut Esteban, ça va ?

Moi, ça va. Je suis allée à Marseille pendant les vacances. C'était génial ! J'étais avec mes cousins et on s'est éclatés.

On a fait toute la ville en scooter et on a pris le bateau pour faire le tour des îles. On s'est baignés tous les jours. L'eau était trop bonne ! Et tu verrais les maillots de foot qu'on s'est achetés dans la boutique de l'Olympique de Marseille... Mais je n'ai pas visité le Musée de la Méditerranée. C'est dommage, on dit qu'il est magnifique.

Ce que j'ai préféré, c'est marcher dans la vieille ville : les rues sont très étroites, avec des maisons de toutes les couleurs. Et les marchés du quartier de Noailles sont incroyables. J'adore Marseille ! J'aimerais y retourner...

Et toi, tu as fait quoi pendant ces vacances ? Raconte !

Bises,
Noémie

Noémie et ses cousins se sont bien amusés à Marseille.	V	F
Ils ont acheté des maillots de rugby pour leurs amis.	V	F
Noémie s'est promenée dans le Vieux Marseille.	V	F
Noémie est retournée à Marseille après les vacances.	V	F

Nos outils

Les valeurs de *on*

- *Nous*, c'est sûr qu'**on** va rentrer avec des chocolats. Tu *nous* connais : **on** est super gourmandes !
- *On* dit que le Musée de la Méditerranée est magnifique.

Le passé composé avec *être*

- **Sujet du verbe = objet**
  - *Je suis allée* à Marseille pendant les vacances.
  - *On s'est baignés* tous les jours.

- **Sujet du verbe ≠ objet ; objet placé après le verbe**
  - *Ils ont acheté* des maillots de foot.
  - *Je me suis offert* un couteau suisse.

- **Sujet du verbe ≠ objet ; objet placé avant le verbe**
  - Tu verrais les maillots de foot *qu'on s'est achetés*...

+ d'activités ▸ p. 16-17

 B. À deux, choisissez la photo d'un endroit et inventez un voyage imaginaire vers cette destination. Imaginez comment vous y êtes allés, combien de temps, ce que vous avez fait là-bas et ce que vous avez rapporté de votre voyage.

Cet été, on est allés à Bali pendant un mois. On a fait du surf et on a escaladé un volcan. On a rapporté des cerfs-volants et on a pris plein de photos !

Nos outils

Plus d'activités sur
espacevirtuel.emdl.fr

1 L'expression des souhaits

Pour exprimer un désir, un souhait, on peut dire **je veux**. Mais pour rendre le message plus poli ou plus mesuré, on utilise très souvent les verbes **vouloir** et **aimer** au conditionnel, suivis d'un verbe à l'infinitif. Ils s'utilisent souvent avec l'adverbe **bien**.

— *J'**aimerais** visiter Venise un jour.*
— *Je **voudrais** rester tranquille chez moi pendant les vacances.*

A. Complète les phrases suivantes en conjuguant *vouloir*/*aimer* entre parenthèses ou *avoir envie de*/*rêver de* au présent.

1. (vouloir) Je ... aller vivre dans la jungle.
2. (aimer) Tu ... jouer à la pétanque sur la banquise ?
3. (aimer) Elle ... voyager dans l'espace.
4. (vouloir) On ... traverser l'Atlantique en bateau.

2 Les prépositions de lieu

Pour indiquer une localisation ou une destination, après des verbes comme **aller**, **retourner**, **habiter**, **vivre**, etc., on utilise les prépositions **à**, **en**, **au** ou **aux**. Ces prépositions changent en fonction du genre, du nombre et du statut du lieu qui les suit.

• Devant un nom de ville, on utilise **à**.
— *Je rêve d'aller **à** Montréal.*

• Devant un nom de pays féminin ou de continent, on utilise **en**.
— *J'ai passé mes vacances **en** France.*

• Devant un nom de pays masculin commençant par une voyelle, on utilise **en**.
— *J'aimerais aller **en** Irak un jour.*

• Devant un nom de pays masculin commençant par une consonne, on utilise **au**.
— *Vous êtes déjà allés **au** Canada ?*

• Devant un nom de pays au pluriel, on utilise **aux**.
— *J'ai passé une semaine **aux** Antilles.*

B. Complète les phrases avec *à*, *en*, *au* ou *aux*.

1. Il a passé l'été ... Royaume-Uni.
2. Je ne suis jamais allée .... Rome.
3. Tu aimerais partir en vacances ... Baléares ?
4. J'ai très envie d'aller ... Liban.
5. Je rêve d'aller ... Colombie.
6. On s'est éclatés ... Nouvelle-Calédonie.

3 Les périodes de temps

Pour indiquer des actions ou des états qui durent une période entière, on utilise **tout(e)**.
— *Dans les Alpes, les stations de ski sont ouvertes **tout** l'hiver.*

Pour indiquer une période qui se compte en mois, on utilise **au mois de** ou **en**, suivis du nom de mois.
— *Le stage de surf aura lieu **au mois de** juin / **en** juin.*

Pour indiquer une saison, on dit **en** été, **en** automne, **en** hiver et **au** printemps.

Pour indiquer le début et la fin d'une période de plusieurs heures, plusieurs mois ou plusieurs années, on utilise les prépositions **de** et **à** ensemble.
— *La piscine sera ouverte **de** mai **à** septembre.*

C. Complète les phrases avec en, de... à..., ou du... au...

1. On a visité Marseille ... octobre.
2. On était en vacances ... juin ... septembre.
3. Ils aménagent les docks de Strasbourg ... été
4. Les magasins sont ouverts ... mardi ... samedi.
5. On pourra faire du bateau ... printemps.
6. Toulouse Plages a lieu ... 11 juillet ... 30 août.

4 Le passé composé

Le passé composé se forme avec le verbe *être* ou le verbe *avoir* au présent, suivi du participe passé du verbe conjugué.

Quand le passé composé est formé avec *être*, le participe passé s'accorde avec le sujet.

— Je **suis partie** en voyage.

— Vous **êtes** déjà **allés** en Guadeloupe ?

Quand le passé composé est formé avec *avoir*, le participe passé ne s'accorde pas, sauf s'il y a un objet et qu'il est situé avant le verbe.

— J'**ai mangé** <u>une glace</u> et elle était très bonne.

— Elle était très bonne, <u>la glace</u> que j'**ai mangée**.

D. Complète les phrases suivantes en mettant le verbe entre parenthèses au passé composé.

1. (partir) Elles ... en voyage au mois de mai.
2. (goûter) Vous ... le gâteau basque et le fromage de brebis ?
3. (faire) Nous ... le tour du lac en vélo.
4. (s'amuser) Laure ... pendant les vacances.
5. (faire) Elle est belle, la peinture que tu ...
6. (voir) Une étoile filante ! Tu l'...
7. (oublier) On ... les cadeaux à la maison.
8. (rapporter) Vous ... des couteaux suisses ?

5 Les valeurs de *on*

Selon les contextes, *on* a différentes significations.

On peut être synonyme de *nous*. À l'oral, *on* est plus fréquent que *nous*. Dans ce cas, le verbe s'accorde avec *on*, à la 3ᵉ personne du singulier.

— Nous nous sommes baignés tout l'été.

→ On s'est baignés tout l'été.

On peut vouloir dire **tout le monde**, **quelqu'un**, **n'importe qui** quand la phrase est positive, ou **personne** quand la phrase est négative.

— Personne ne peut voyager sans passeport.

→ On ne peut pas voyager sans passeport.

— Beaucoup de gens disent que Venise est une très belle ville. Moi, je n'y suis jamais allée.

→ On dit que Venise est une très belle ville. Moi, je n'y suis jamais allée.

E. Dans ces phrases, indique si *on* pourrait être remplacé par *nous* ou *tout le monde/les gens/ personne*.

1. On s'est beaucoup amusés pendant les vacances.
2. À la Ferme des étoiles, on peut regarder le ciel avec un télescope géant.
3. Tu sais où on va ?
4. On ne peut pas visiter le musée : il est fermé.
5. Quand est-ce qu'on arrive ?

Phonétique Les sons [u] ou [y]

Piste 03

Écoute ces phrases et note si tu entends [u] ou [y] dans chacune.

[u] comme dans *En route !*

[y] comme dans *En voiture !*

1	2	3	4
[u] [y]	[u] [y]	[u] [y]	[u] [y]

MAG.COM

SUR LES PAVÉS LA PLAGE

Plusieurs villes françaises, éloignées de la mer, transforment chaque été les bords de leurs fleuves et canaux en plages. Les citadins qui ne partent pas ont ainsi un endroit pour bronzer quand il fait beau, se baigner quand c'est possible, faire du sport et plein d'autres activités. Après Saint-Quentin, Paris, Toulouse, Strasbourg, etc., se donnent elles aussi un petit air de vacances.

SAINT-QUENTIN, LA PIONNIÈRE

La ville de Saint-Quentin en Picardie a été la première ville de France à établir une plage éphémère dans son centre-ville, en 1996. Depuis, chaque été, la place de l'Hôtel-de-Ville est transformée en plage, grâce à un millier de tonnes de sable fin, des chaises longues, des parasols et des palmiers. Des associations locales organisent des jeux, des concours et des dégustations pour les visiteurs. Elle a reçu 275 000 visiteurs en 2014.

PARIS PLAGES

C'est en 2002 qu'a débuté l'opération Paris Plages. Ses plages artificielles séduisent les touristes comme les Parisiens. Elles s'étendent sur les quais de la Seine et du canal de l'Ourcq. On peut y bronzer, faire des arts martiaux, admirer des expositions en plein air, et bien d'autres choses encore. Mais on ne peut pas se baigner dans la Seine : elle est trop polluée...

LA PLAGE EN PLEINE VILLE

TOULOUSE PLAGES

Depuis 2003, la Ville Rose a aussi ses plages, situées à différents endroits sur les bords de la Garonne. Les activités sportives y sont très nombreuses. En plus de la pétanque, on peut y jouer au rugby, au foot, au volley, au handball et même au frisbee. Une grande roue permet de voir Toulouse d'en haut. Et un café-restaurant offre des boissons fraîches et des plats du Sud-Ouest sur une terrasse flottante de 120 m^2 pour les gourmands.

LES DOCKS D'ÉTÉ À STRASBOURG

Vivre à 500 km de la côte la plus proche n'empêche pas les Strasbourgeois d'avoir leur plage. Elle apparaît chaque été depuis 2009, sur la presqu'île André-Malraux. On peut y faire du pédalo et du canoë-kayak au milieu du canal reliant le Rhône au Rhin. La ville organise de nombreux jeux et compétitions sportives. On peut aussi lire tranquillement au bord de l'eau les livres et les BD de la médiathèque toute proche.

Repérage

En lisant les textes, trouve les réponses aux questions suivantes.

a. Quelle a été la première ville de France à créer une plage pour ses habitants ?

b. Dans quelle ville trouve-t-on un restaurant flottant ?

c. Pourquoi ne peut-on pas se baigner dans la Seine ?

d. Quelle plage urbaine est aménagée à côté d'une bibliothèque ?

Est-ce que des évènements ou des activités sont organisés pour les vacances dans ta ville ou ta région ? Fais des recherches et discutes-en avec tes camarades.

Faire un reportage sur un lieu qu'on aime

1. Le choix du lieu

- En groupes, nous choisissons un lieu que nous aimons. Ce peut être un site naturel, un village, une ville, un quartier, une rue.
- Nous décidons de la manière dont nous allons faire notre reportage. Allons-nous faire des dessins, des photos, des vidéos ? Allons-nous enregistrer des interviews ou prendre des notes ?
- En fonction de nos choix, nous préparons le matériel dont nous aurons besoin pour faire notre reportage.

2. Le reportage

- Nous nous rendons sur le lieu que nous avons choisi et nous prenons des images.
- Nous interrogeons des personnes qui connaissent bien ce lieu et qui peuvent nous parler de son histoire, de ses particularités et de ce qu'on peut y faire.

3. La présentation

- Nous trions et organisons les images et informations que nous avons récoltées.
- Nous présentons notre lieu à la classe.

ET MAINTENANT...
Choisissez le lieu qui vous plaît le plus et organisez, si possible, une sortie avec la classe.

L'ÎLE DÉSERTE

But du jeu

Choisir 6 objets à emporter sur une île déserte.

Déroulement

1. Imaginez que vous allez vivre sur une île déserte et que vous n'avez le droit d'emporter que 6 objets.

2. À deux ou en groupes, discutez des objets que vous aimeriez emporter et pourquoi vous choisiriez ceux-là.

3. Faites la liste des objets que vous voudriez emporter, en vous aidant d'Internet ou d'un dictionnaire au besoin.

4. Chaque groupe présente sa liste à la classe, qui peut discuter ces choix. Le groupe essaye de convaincre les autres de l'utilité (sur une île déserte, bien sûr) de chaque objet choisi.

Matériel
- pas de matériel

Outils linguistiques
- les vêtements
- les accessoires
- les couleurs
- la question avec « Est-ce que… »
- la question avec « Qu'est-ce que… »

Test

Teste tes connaissances !

Lis les phrases et choisis la bonne réponse. Puis compare avec un camarade.

1 Mes cousins vivent ... Maroc.
a. en
b. au
c. à

2 Ils sont partis en vacances ...Grèce.
a. en
b. au
c. à

3 Ils ont passé une semaine ... Athènes.
a. en
b. au
c. à

4 Le parc d'attractions est ouvert ... l'année.
a. toute
b. au
c. en

5 On peut visiter le musée ... juin.
a. toute
b. au
c. en

6 La saison touristique commence ... printemps.
a. toute
b. au
c. en

7 Je suis partie ... 4 ... 22 avril.
a. au mois de
b. de ... à
c. du ... au

8 La plage éphémère sera ouverte ... juillet.
a. au mois de
b. de ... à
c. du ... au

9 Les stages de peinture sont organisés ... mai ... septembre.
a. au mois de
b. de ... à
c. du ... au

10 ... peut aller à Toulouse Plages : l'entrée est libre et gratuite.
a. Personne
b. Tout le monde
c. Nous

11 ... a adoré Marseille. On veut y retourner.
a. Personne
b. Tout le monde
c. Nous, on

12 ... ne peut se baigner dans la Seine. C'est interdit !
a. Personne
b. Tout le monde
c. Nous, on

13 ... est montées dans la grande roue de la place de la Concorde.
a. Personne
b. Tout le monde
c. Nous, on

14 Elle a beaucoup ... pendant les vacances.
a. dormi
b. dormait
c. dormais

15 Elle a ... la sieste tous les jours.
a. faite
b. faites
c. fait

16 Ils ont ... la place de la mairie en plage.
a. transformé
b. transformée
c. transformées

17 Ils ont ... des palmiers et des parasols.
a. installé
b. installée
c. installés

18 Ma tante, je l'ai ... au mois d'août.
a. vue
b. vu
c. vus

19 Nous, on s'est ... dans la piscine.
a. baigné
b. baignée
c. baignés

20 Aurore et Théo ont ... cet été.
a. bronzés
b. bronzé
c. bronzée

Note : ____ /20

Notre projet final

Présenter le réseau d'un personnage de série ou de film

Dans cette unité, nous allons...

• parler du caractère de quelqu'un

• décrire des relations, des liens entre les personnes

• exprimer des sentiments

• donner des conseils et faire des suggestions

Voisins, voisines

1 Nos chers voisins

 A. Lis la description de la série télévisée française *Nos chers voisins*. Y a-t-il une série similaire dans ton pays ?

Nos chers voisins est une série télé humoristique diffusée depuis 2012. Elle raconte la vie des voisins d'un immeuble. Les personnages sont tous différents. Il y a des familles, des célibataires, des couples, des jeunes, des personnes âgées. Ils ont des relations parfois compliquées, parfois amicales. Ils se croisent au quotidien dans l'immeuble et leurs rencontres sont toujours drôles.

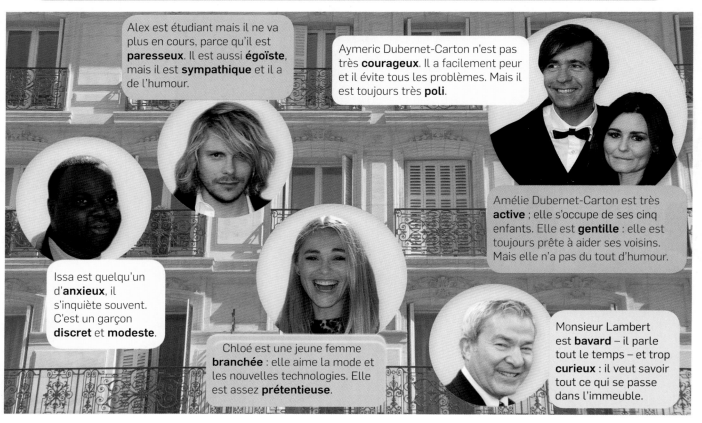

Alex est étudiant mais il ne va plus en cours, parce qu'il est **paresseux**. Il est aussi **égoïste**, mais il est **sympathique** et il a de l'humour.

Aymeric Dubernet-Carton n'est pas très **courageux**. Il a facilement peur et il évite tous les problèmes. Mais il est toujours très **poli**.

Amélie Dubernet-Carton est très **active** ; elle s'occupe de ses cinq enfants. Elle est **gentille** : elle est toujours prête à aider ses voisins. Mais elle n'a pas du tout d'humour.

Issa est quelqu'un d'**anxieux**, il s'inquiète souvent. C'est un garçon **discret** et **modeste**.

Chloé est une jeune femme **branchée** : elle aime la mode et les nouvelles technologies. Elle est assez **prétentieuse**.

Monsieur Lambert est **bavard** – il parle tout le temps – et trop **curieux** : il veut savoir tout ce qui se passe dans l'immeuble.

 B. Lis la présentation des différents voisins, lequel aurais-tu envie de connaître ? Pourquoi ?

 C. À présent, complète le tableau avec l'adjectif contraire, en choisissant parmi les adjectifs surlignés.

Adjectif	Trait de caractère
actif	*paresseux*
curieux	
modeste	
lâche	

 D. À deux, choisissez une série que vous aimez bien et présentez-la par écrit. Pour cela, aidez-vous de la fiche ci-dessous. Ensuite, lisez les autres descriptions de la classe. Avez-vous les mêmes goûts ?

Nom de la série :

Date de création :

Histoire :

Genre :

Personnages :

Autres remarques :

2 Problèmes de voisinage

 A. Lisez ces messages. À votre avis, où se trouvent-ils ?
De quels problèmes parlent-ils ?

Bonjour

D'habitude, je dors bien, je fais de beaux rêves. Mais, en ce moment, je suis réveillée toutes les nuits par le bruit d'une machine à laver. C'est insupportable !

SVP, aidez-moi à retrouver le sommeil : attendez le matin pour laver votre linge sale !

Mᵐᵉ Chevalier (la voisine optimiste du 1ᵉʳ)

Chers voisins,
Comme vous le savez, je suis plutôt discrète. Mais ce soir, je fête mes 25 ans avec des amis. Je vous prie de m'excuser si je suis un peu plus bruyante que d'habitude.
Soyez patients s'il-vous-plaît !
Bettina (4ᵉ étage)

Bon anniversaire Bettina !
Des roses rouges vous attendent à l'appartement n° 40.
Votre voisin attentionné du 3ᵉ

N'appelez plus la police quand on fait trop de bruit.
Venez sonner, c'est plus sympa !
Les colocs du 2ᵉ, ouverts d'esprit et ouverts au dialogue

 Piste 04 **B.** Écoutez la conversation entre Marc et Lucas. À quel message correspond-elle ? Quelle solution trouvent-ils pour résoudre leur problème ?

 C. Quels sont les adjectifs qui caractérisent chaque voisin de cet immeuble ?

Voisins	Trait de caractère
Mᵐᵉ Chevalier	*optimiste*
Bettina	
Le voisin du 3ᵉ	
Les colocs	

 D. Est-ce que vous connaissez vos voisins ? Si oui, comment sont-ils ? Avez-vous déjà eu des problèmes avec eux ? Si oui, lesquels ?

• *Mes voisins sont gentils. Mais ils ont un chien très bruyant. On a déjà eu des problèmes avec eux, mais c'étaient juste de petits problèmes.*

Nos outils

La place des adjectifs

• **Après le nom**
– Des roses **rouges**.
– Attendez le matin pour laver votre linge **sale**.

• **Avant le nom**
– D'habitude, je fais de **beaux** rêves.

Les adverbes d'intensité

+
Elle est **super** sympa !
Il est **vraiment** gentil !
Elle est **très** polie.
Ils sont **plutôt** bavards.
Elle **n'**est **pas très** courageuse.
Il est **un peu** naïf.
Elles **ne** sont **pas** curieuses.
Il **n'**est **pas du tout** patient !
–

+ d'activités ▶ p. 30-31

Vive l'amitié !

1 Une histoire d'amitié

A. Observez l'affiche du film *Les Petits Mouchoirs*.
À votre avis, de quel genre de film s'agit-il ?

| un film d'horreur | une comédie dramatique | un film policier | un film d'aventure |

UN FILM DE
GUILLAUME CANET

LES PETITS
MOUCHOIRS

FRANÇOIS CLUZET
MARION COTILLARD
BENOÎT MAGIMEL
GILLES LELLOUCHE
JEAN DUJARDIN
LAURENT LAFITTE
VALÉRIE BONNETON
PASCALE ARBILLOT

L'HISTOIRE

Ludo, Max, Véronique, Vincent, Isabelle, Éric, Marie et Antoine sont une bande d'amis trentenaires. Ils se retrouvent tous les étés pour passer leurs vacances ensemble.

Un jour, Ludo a un grave accident de scooter. Ses amis décident de ne pas annuler leurs vacances. Ils se réunissent dans la maison de Max. C'est là que tous les problèmes commencent.

Même s'ils s'entendent bien, il y a des tensions. Ils s'énervent les uns les autres. Ils ont parfois du mal à se supporter. Ils se disputent, puis se réconcilient. Ils se mentent et se font des reproches. Mais ils se font aussi des confidences : ils se racontent des choses qu'ils n'avaient jamais dites à personne. Et ils s'amusent aussi pas mal.

Bref, ce film raconte l'histoire d'un groupe d'amis qui s'aiment beaucoup et qui apprennent à mieux vivre ensemble.

B. Lisez le synopsis du film puis répondez aux questions.

1. Que fait le groupe d'amis chaque année ?

2. Quel événement est le point de départ du film ?

3. Quels sont les problèmes et tensions qui apparaissent dans le film ?

C. En groupes, créez des devinettes sur des films ou des séries en vous aidant des catégories ci-dessous. Ensuite, proposez vos devinettes à la classe.

| film | série | personnages | lieu |

- *Premier indice : le film raconte une histoire d'amitié.*
- *Les Petits Mouchoirs ?*
- *Non, deuxième indice : c'est l'histoire d'un jeune chômeur qui aide un riche handicapé.*
- *Intouchables !*
- *Oui !*

2

2 Les copains d'abord

 A. Lis les messages postés sur ce forum. De quels problèmes parlent-ils ? Êtes-vous plutôt d'accord avec Saïd ou avec Tim ?

www.forum_ados_a_plus.com   RSS

Un problème ? Une solution !

Quentin
Je m'entends très bien avec mes copains du lycée. On forme un super groupe. L'autre jour, j'ai vu un gars du groupe avec une fille et je lui ai demandé si c'était sa copine. Il a dit non. Mais on ne l'a pas crû. Alors on est entrés dans son Facebook (on connaît tous son mot de passe) et on a découvert qu'il nous mentait !!! On s'est énervés et on lui a dit ! Il s'est vexé et depuis qu'on a regardé son FB, il est fâché avec nous ! J'aimerais bien me réconcilier avec lui mais les autres ne veulent pas : ils disent que c'est un menteur. Je ne sais pas quoi faire...

Saïd
Si tu regrettes, c'est parce que tu sais que tu as fait quelque chose de mal. Il vous a menti, c'est vrai, mais tu as piraté son compte FB et tu as trahi sa confiance, c'est grave ! Tu devrais lui parler. Tu pourrais lui expliquer pourquoi tu as fait ça et lui dire que tu regrettes. Ensuite, tu verras s'il te pardonne ou pas.

Tim
Salut Quentin,
Je ne suis pas d'accord avec Saïd, pour moi, le mauvais ami, c'est lui, pas toi ! Un véritable ami ne ment pas ! Et en plus, ce n'est pas très intelligent de donner son mot de passe aux autres, il est trop confiant !! Tu devrais le laisser tomber. Écoute tes autres copains, ils ont raison.

Sophia
Salut ! J'ai un problème : en mai dernier, je me suis disputée avec mon amie d'enfance pour une chose sans importance. C'était de ma faute. Je voudrais lui parler pour essayer de me réconcilier avec elle, mais je n'ose pas. Ça fait un mois que nous sommes fâchées !! Et pourtant, on s'adore ! J'ai besoin de vos conseils !

 B. Et toi, est-ce que ça t'arrive de te disputer avec tes amis ? Qu'est-ce que tu fais dans ces cas-là ? Parlez-en à deux.

• *Quand je me dispute avec un ami, j'essaie de m'excuser si c'est de ma faute.*

 C. Sophia n'a pas reçu de réponse à son message. Quels conseils pourrais-tu lui donner ?

Sophia, tu devrais aller parler à ton amie, lui dire que tu es triste et que tu aimerais te réconcilier avec elle.

Nos outils

Le conditionnel

– **Tu pourrais** lui expliquer pourquoi tu as fait ça.
– **Tu devrais** le laisser tomber.
– **Je voudrais** lui parler pour essayer de me réconcilier avec elle, mais je n'ose pas.

Les verbes pronominaux

• **Les réciproques**
S'entendre bien/mal (avec)
– *Je m'entends très bien avec lui.*
– *Ils s'entendent très bien.*
S'adorer, s'aimer
– *On s'adore !*
– *Ils s'aiment beaucoup.*
Se disputer (avec)
– *Je me suis disputée avec elle.*
– *On s'est disputées.*
Se réconcilier (avec)
– *Je me suis réconciliée avec elle.*
– *On s'est réconciliées.*

• **Les réfléchis**
Se vexer
– *Il s'est vexé.*
Se fâcher/se mettre en colère
– *Je me suis fâché.*
– *Je me suis mise en colère.*
S'énerver
– *On s'est énervés.*
– *Je me suis énervée.*

+ d'activités ▶ p. 30-31

1 Souvenirs en images

 A. Lis les légendes, observe les photos de Magali et associe chaque légende à une photo.

1. Depuis que je te connais...
2. Il y a un an, avec mes amis du club de snowboard.
3. Depuis qu'Inés, ma correspondante espagnole, est venue nous voir, on est devenues très amies.
4. Il y a six mois au Festival Rockett avec ma meilleure amie, Laura.
5. Avec mon père au Sénégal. Ça fait deux ans, déjà !

 B. Écoute Magali commenter ses photos à sa nouvelle amie Pauline, et complète le tableau.

Piste 05

	Avec qui ?	Quand ?	Où ?
1			
2			
3			
4			
5			

 C. À ton tour, choisis 4 photos qui représentent tes relations (amis, famille...) et commente-les à un camarade en t'aidant de la fiche suivante.

Avec qui ? Avec mon frère, Paul.

Où ? Chez notre tante, à La Rochelle.

Quand ? C'était il y a 1 an, à Noël.

2 Moi et les autres

 A. Voici le réseau de Magali, qui a des relations avec des gens dans différents contextes. À quelles catégories appartiennent ces relations ?

| vie scolaire | loisirs | amitié | amour | famille |

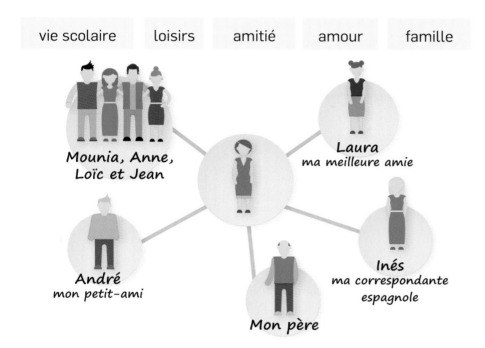

Mounia, Anne, Loïc et Jean

Laura
ma meilleure amie

André
mon petit-ami

Mon père

Inés
ma correspondante espagnole

 B. Associe les noms de relations avec leurs définitions.

Une connaissance, ●	● c'est quelqu'un avec qui je communique uniquement par Internet.
Un ami virtuel, ●	● c'est l'ami que je préfère.
Un camarade, ●	● c'est quelqu'un qui partage une activité scolaire ou de loisir avec moi.
Un ami d'enfance, ●	● c'est une personne que je connais et qui me connaît depuis toujours.
Mon meilleur ami / Ma meilleure amie ●	● c'est une personne que je ne connais pas très bien.

 C. À quoi ressemble ton réseau ? Dessine-le à partir des différents groupes de gens que tu connais.

Nos outils

Situer dans le temps

Situer l'action dans le passé :
– *Il y a* six mois, on est allées à un festival d'électro.

Préciser une durée :
– J'ai visité le Sénégal avec mon père. *Ça fait* deux ans, maintenant.

Pour indiquer le point de départ d'une action qui dure encore dans le présent :
– *Depuis* qu'on se connait, on passe toutes nos vacances en Bretagne.
– On est ensemble *depuis* trois mois.

Les pronoms relatifs

• **que**
– C'est une personne *que* je ne connais pas très bien.
– C'est un ami *que* j'adore.

• **qui**
– C'est une fille *qui* est dans mon club de sport.
– C'est quelqu'un *qui* partage la même activité de loisir.

• **où**
– C'est l'année *où* on a fêté Noël à La Rochelle.
– C'est la ville *où* vit ma tante.

+ d'activités ▶ p. 30-31

LE SAIS-TU ?

En France, les utilisateurs et utilisatrices de Facebook ont 177 « amis » en moyenne. En Belgique, la moyenne est de 162. Pourtant, d'après le chercheur Robin Dunbar, un être humain ne peut pas entretenir des relations stables avec plus de 148 personnes...

Source : levif.be

Plus d'activités sur
espacevirtuel.emdl.fr

1 La place des adjectifs

Les adjectifs de couleur, de forme, d'état ou de nationalité se placent derrière le nom.

— *J'ai acheté des roses **rouges** pour son anniversaire.*

Les adjectifs suivants se placent devant le nom : **vrai, faux, beau, petit, grand, gros, bon, jeune, joli, long, mauvais, vieux**

— *C'est un très **bon** ami à moi.*

De nombreux adjectifs d'appréciation peuvent se placer avant ou après le nom.

— *Ce sont de **formidables** voisins.*
— *Ce sont des voisins **formidables**.*

A. Place l'adjectif au bon endroit.

1. (vertes) J'ai des ... baskets ...
2. (rond) Les Français adorent le ... ballon ...
3. (colombienne) Je te présente Norma, mon ... amie ...
4. (bonne) Inviter tout l'immeuble à dîner, c'est vraiment une ... idée ...
5. (généreuse) Ma sœur est une ... personne ...
6. (merveilleuse) C'est une ... amie ...
7. (adorable) C'est un ... garçon ...

2 Le conditionnel

On utilise le conditionnel pour évoquer des possibilités. Il sert à exprimer des désirs, des souhaits, à donner des conseils ou à faire des reproches. Le conditionnel présent est formé à partir du radical du futur, auquel on ajoute les terminaisons de l'imparfait.

— ***J'aimerais** me faire de nouveaux amis.*
— ***Tu devrais** proposer à Manon de venir avec nous au cinéma.*
— ***Tu pourrais** être plus sympa avec ton frère.*

B. Regarde les phrases suivantes et donne des conseils ou fais des suggestions.

1. J'ai mal à la tête.
2. Je me suis disputée avec mon voisin et il ne me dit plus bonjour.
3. Je veux organiser une fête mais je ne sais pas où.
4. Il faut que j'achète un cadeau à ma mère.
5. Ma colocataire est très égoïste, elle ne partage jamais rien avec moi.

FUTUR	IMPARFAIT	CONDITIONNEL PRÉSENT
je **ser**ai	j'étais	je **ser**ais
tu **ser**as	tu étais	tu **ser**ais
il/elle/on **ser**a	il/elle/on était	il/elle/on **ser**ait
nous **ser**ons	nous étions	nous **ser**ions
vous **ser**ez	vous étiez	vous **ser**iez
ils/elles **ser**ont	ils/elles étaient	ils/elles **ser**aient

3 L'accord des verbes pronominaux

Les verbes pronominaux se construisent avec le verbe **être**. Les pronoms se placent devant **être**. Avec être, le participe passé s'accorde avec le sujet.

— *Alix <u>s</u>'est réconcilié**e** avec son copain.*
— *Ils <u>se</u> sont disputé**s** hier.*

C. Complète les phrases en mettant les verbes suivants au passé composé.

1. (se disputer) Tom et Julie ne sont pas contents, ils ... hier.
2. (se comprendre) Je t'avais dit à dix heures, pas à dix heures et quart, on ne ... .
3. (se promener) Ce week-end, mes parents ... au bord de la mer.
4. (se lever) À quelle heure tu ... ce matin ?
5. (se fâcher) Je ne comprends pas pourquoi Clarisse ... avec sa sœur.

4 Les pronoms relatifs : *qui, que* et *où*

On utilise les pronoms relatifs pour décrire quelqu'un ou quelque chose.

Ils servent à remplacer un nom et à relier deux phrases et éviter les répétitions.

• **Qui** remplace un nom qui est sujet du verbe.

— *Il y a un livre sur la table. Ce livre est à moi.*

→ *Le livre **qui** est sur la table est à moi.*

• **Que** remplace un nom qui est complément du verbe.

— *Je regarde une série. J'aime cette série.*

→ *J'aime bien la série **que** je regarde*

→ *Je regarde une série **que** j'aime bien.*

• **Où** remplace un complément de lieu ou de temps.

— *Je suis né dans une ville. Cette ville est dans le Nord.*

→ *La ville **où** je suis né est dans le Nord.*

— *Ma sœur s'est mariée. Le jour de son mariage, il pleuvait.*

→ *Le jour **où** ma sœur s'est mariée, il pleuvait.*

D. Transforme les phrases suivantes pour n'en faire qu'une, en utilisant le pronom relatif qui convient : qui, que, où.

1. C'est un très bon ami. Il habite dans le Sud.
   C'est un ami...
2. J'ai des cousins. Ils sont très sympas.
   J'ai des cousins...
3. Tu as vu ce film ? C'est un film sorti la semaine dernière.
   Tu as vu ce film...

5 Indiquer une durée

IL Y A	ÇA FAIT	DEPUIS
= action passée qui est terminée au moment où on parle	= action passée qui est terminée ou qui continue au moment où on parle	= état ou action commencée dans le passé et qui continue au moment où on parle
Il y a *un mois, on s'est disputés.*	***Ça fait*** *trois jours qu'on s'est réconciliés.*	***Depuis*** *qu'on s'est réconciliés, tout va bien.*

E. Complète avec les expressions de durée qui conviennent.

1. J'ai rencontré mon meilleur ami ... six ans.
2. On est voisins ... 2008.
3. ... un an qu'on ne s'est pas vus.
4. ... que je fais du foot, j'ai de nouvelles amies.

Phonétique Les semi-voyelles [j], [w] et [ɥ]

Piste 06

Écoute ces phrases et entoure le(s) son(s) que tu entends.

1	2	3	4
[j] - [w] - [ɥ]	[j] - [w] - [ɥ]	[j] - [w] - [ɥ]	[j] - [w] - [ɥ]

[j]	f**i**lle
[w]	t**oi**
[ɥ]	br**ui**t

MAG.COM
DES SÉRIES POUR TOUS LES GOÛTS

Même si les séries américaines restent les plus regardées au monde, beaucoup de séries francophones ont du succès. Certaines de ces séries sont doublées et sous-titrées pour être retransmises dans des pays non francophones.

À votre avis, quelle image correspond à chacune de ces descriptions ?

a) Motel Monstre

Cette série québécoise se passe dans un vieil hôtel construit près d'une source mystérieuse. Son équipe — composée d'un vieil homme, d'une jeune fille débrouillarde et de monstres sympathiques — se bat pour la survie de cet étrange motel.

b) Un village français

Cette série française retrace la vie d'un village du Jura pendant la Seconde Guerre Mondiale. Elle montre comment la guerre transforme la vie des personnes, mais aussi les personnes elles-mêmes.

c) Plus belle la vie

Cette série française se passe dans un quartier imaginaire de Marseille. Elle suit les aventures de nombreux personnages : intrigues policières, mais surtout histoires de famille, d'amour, d'amitié et de voisinage.

DES SÉRIES QUI VOYAGENT

Les séries télévisées sont souvent doublées ou sous-titrées en d'autres langues. Elles peuvent aussi être adaptées, avec des changements dans le scénario, un nouveau tournage et un casting différent. La série québécoise *Un gars, une fille* a été la série la plus adaptée dans le monde, avec des adaptations dans 26 pays. Les créateurs de séries françaises s'inspirent beaucoup de séries québécoises, mais aussi allemandes (*Falco*) ou anglaises (*Accusé*), qu'ils transforment pour le public français. Parfois, ce sont des auteurs d'autres pays qui s'inspirent de séries françaises. Par exemple, *Engrenages* et *Les Revenants* ont été adaptées pour le public américain.

Sylvie Leonard et Guy Lepage, les acteurs de la série originale québécoise *Un gars une fille*.

Jean Dujardin et Alexandra Lamy, les acteurs de l'adaptation française d'*Un gars une fille*.

Les séries que tu regardes sont-elles originales ou adaptées ? Fais des recherches sur Internet pour savoir d'où elles viennent.

Notre projet final

Présenter le réseau d'un personnage de série ou de film

Astuce +

Illustrez votre affiche en imprimant ou découpant des images des personnages du réseau. Si vous aimez dessiner, vous pouvez aussi dessiner vous-mêmes les personnages.

1. Le choix du personnage

▶ À deux, nous cherchons un personnage de film ou de série télévisée que nous connaissons tous les deux.

▶ Nous écrivons le nom, le métier ou la situation du personnage choisi et les traits essentiels de sa personnalité.

2. Le dessin du réseau

▶ Nous choisissons quelques relations de ce personnage avec d'autres personnages.

▶ Nous les plaçons dans un dessin autour du personnage choisi.

▶ Nous écrivons les traits essentiels de chacun et leur relation avec le personnage choisi.

3. La présentation

▶ Nous ajoutons des illustrations et finalisons notre affiche.

▶ Nous présentons notre affiche à la classe, en expliquant les relations entre les personnages du réseau.

Conseils pratiques

- Vous pouvez réaliser cette affiche sur papier ou en version numérique.
- Si vous la faites en version numérique, vous pouvez l'imprimer ou la projeter dans la classe.

ET MAINTENANT...

Les personnages des différents groupes ont-ils des liens entre eux ? Ou pourraient-ils en avoir ? Regroupez-les pour faire le grand réseau imaginaire de la classe.

LE POST-IT

Matériel
- *Des post-it*

Outils linguistiques
- *Les films et les séries télévisées*
- *Les traits de caractère*
- *Les liens amicaux et familiaux*

But du jeu

Deviner un personnage de film ou de série télévisée.

Déroulement

1. Formez des groupes.

2. Prenez chacun un post-it et écrivez le nom d'un personnage de film ou de série de votre choix.

3. Donnez votre post-it à votre voisin de gauche, en cachant le côté où est écrit le nom du personnage. Le voisin le colle sur son front sans savoir ce qui est écrit sur le post-it.

4. Il pose alors une seule question pour essayer de deviner qui est son personnage. La question doit être posée à la première personne et doit être une question à laquelle les autres ne répondent que par « oui » ou par « non ». Par exemple : « Est-ce que je suis un personnage de série ? », « Est-ce que je suis drôle ? », « Est-ce que j'ai des enfants ? », etc.

5. Puis c'est au tour de son voisin de gauche de poser une question sur son personnage.

6. Le jeu continue jusqu'à ce que tous les joueurs découvrent le nom du personnage inscrit sur leur post-it.

Vous savez déjà faire beaucoup de choses !

Vous allez faire le bilan de ce que vous avez appris dans les unités 1 et 2.

En petits groupes, complétez ces encadrés avec d'autres phrases.

Vous pouvez utiliser de grandes feuilles pour ensuite les coller sur les murs de la classe.

Raconter un voyage/des vacances

— *On est restés à Paris et on s'est bien amusés.*

— *Je suis allée à Marseille et me suis baignée tous les jours.*

Préciser une durée

— *Il y a un an, on est allés dans les Pyrénées.*

— *Ça fait un mois que je ne l'ai pas vu.*

— *On se connaît depuis toujours.*

Décrire un lieu

— *C'est un pays magnifique.*

— *C'est une grande ville.*

Parler du caractère de quelqu'un

— *Elle est vraiment gentille et elle a de l'humour.*

— *C'est un garçon plutôt bavard.*

— *Il est très sympa !*

Formuler un conseil ou une suggestion

— *Tu devrais te réconcilier avec lui.*

— *Tu pourrais aller lui parler et lui dire que tu regrettes*

Décrire des relations

— *On s'entend très bien !*

— *C'est un ami que je vois souvent.*

— *Ils étaient fâchés mais ils se sont réconciliés.*

Notre projet final

Créer une fiche pratique de bien-être

Dans cette unité, nous allons...

- échanger sur des habitudes, des styles de vie différents
- formuler des buts et des oppositions
- donner des conseils et des indications pratiques

Bien dans mon assiette

1 Végétarien ou carnivore ?

 A. Joana est végétarienne. Elle ne mange ni viande, ni poisson. Lis les recettes de cuisine suivantes. Quel plat peut-elle préparer pour elle et ses amis végétariens ?

Pizza quatre fromages et jambon

Ingrédients pour 4 personnes :
- une pâte à pizza
- une boule de mozzarella
- 160 g de fromage de chèvre
- 160 g de gorgonzola
- 80 g de parmesan
- 2 tranches de jambon de parme
- du coulis de tomate
- de l'huile

Pâtes marines

Ingrédients pour 4 personnes :
- 500 g de spaghettis ou de tagliatelles
- 200 g de saumon fumé
- 1 pot de crème fraîche épaisse (50 cl)
- 1 oignon
- un demi-citron
- 2 brins de ciboulette
- un peu de poivre

Curry d'aubergines aux pois chiches

Ingrédients pour 4 personnes :
- 1 gros oignon
- 2 aubergines et 1 courgette
- 400 g de pois chiches
- 2 cuillères à soupe d'huile d'olive
- 1 boîte de tomates pelées
- 3 cuillères à café de curry
- un peu de cumin
- une pincée de sel
- du poivre

B. Classe les ingrédients des trois recettes dans le tableau suivant.

Les végétariens	
mangent :	ne mangent pas :
des pâtes	de saumon

 C. En groupes, parlez des produits que vous consommez ou pas et pourquoi.

• *Est-ce que tu manges des fruits de mer ?*
○ *Non, je n'en mange pas, je suis allergique.*

 D. À deux, faites des recherches sur Internet et choisissez une recette végétarienne. Écrivez la liste des ingrédients, en précisant les quantités. Ensuite, faites deviner à la classe de quel plat il s'agit.

2 En cuisine !

Piste 07

A. Michael rentre des courses ; son petit frère Paul est dans la cuisine. Écoute leur conversation. Parmi les aliments suivants, quels sont ceux que Michael a achetés ?

B. Pourquoi Michael a-t-il acheté ces produits ? Croyez-vous que Paul va changer ses habitudes alimentaires ?

C. En groupes, vous allez jouer à ce jeu de l'oie. Chacun votre tour, lancez le dé et avancez d'autant de cases. Les autres vous posent la question écrite dans la case. Pour avancer, il faut répondre en remplaçant les mots soulignés par le pronom *en*. Attention : si votre réponse est incorrecte ou si vous ne savez pas répondre, vous reculez de trois cases !

Jeu de l'oie

DÉPART
1. Tu veux du chocolat ?
2. Tu manges souvent des lentilles ?
3. Tu connais une recette de pâtes ?
4. Tu bois du lait le matin ?
5. Tu aimes manger des pizzas ?
6. Tu as mangé un hamburger, hier ?
7. Tu bois souvent du soda ?
8. Tu manges de la viande chaque jour ?
9. Tes frères et sœurs boivent du thé ?
10. Tu prépares des plats chez toi ?
11. Tu n'aimes pas manger de poisson ?
12. Tu achètes souvent des sucreries ?
13. Tu vas faire des courses ce soir ?
14. Tu manges des fruits tous les jours ?
15. Tu as des allergies alimentaires ?
16. Tu aimes boire du soda ?
ARRIVÉE

Nos outils

Poids et mesures pour la cuisine

- **Une pincée de** sel
- **Un peu de** cumin
- **Un brin de** ciboulette
- **Un carré de** chocolat
- **Une cuillère à café de** curry
- **Une cuillère à soupe de** farine
- **Un demi-**citron
- **100 grammes de** fromage
- **Une tranche de** jambon
- **Une plaque de** chocolat
- **Une canette de** soda
- **Un pot de** confiture
- **Une boîte de** chocolat
- **Un paquet de** chips
- **Une bouteille de** lait
- **Un kilo de** poires

Les articles partitifs

- Elle mange **du** fromage.
  de la salade.
  de l'huile.
  des carottes.

- Il **ne** mange **pas de** fromage.
  de salade.
  d'huile.
  de carottes.

Le pronom *en*

- ● Elle ne mange plus de viande ?
- ○ Non, elle n'**en** mange plus depuis deux mois.
- ● Elle mange des légumes ?
- ○ Oui, elle **en** mange une fois par jour.
- ● Elle t'a donné une recette végétarienne ?
- ○ Oui, elle m'**en** a donné une.

+ d'activités ▶ p. 44-45

Bouge !

1 Choisis ton sport de combat

 A. Lis cette page Internet et réponds aux questions.

www.lesportetlesprit.aplus

LE SPORT ET L'ESPRIT
ASSOCIATION POUR LA PROMOTION DES ARTS MARTIAUX

Comment choisir son art martial ? | 07 février

Les professionnels disent qu'on pratique un art martial « pour ne pas avoir à s'en servir ». Cette phrase résume bien l'esprit des sports de combat, qui enseignent avant tout la paix et le respect. Mais ce n'est pas facile de choisir un art martial. Voici les raisons de pratiquer trois sports de combat que nous proposons dans notre association. Vous pouvez venir les tester gratuitement quand vous voulez !

L'AÏKIDO : UN ART JAPONAIS

L'aïkido est à la fois un sport et une philosophie. Son principe est simple : on utilise la force de l'adversaire dans le but de le neutraliser, afin qu'il ne puisse plus nous faire de mal. Les entraînements se font généralement par deux. Pour être vraiment efficace, cet art martial doit être pratiqué dans la bonne humeur.

Pourquoi le pratiquer ?
- Pour se préparer physiquement et mentalement à toutes sortes d'attaques.
- Pour avoir de meilleurs réflexes.
- Pour apprendre à contrôler sa force et ses émotions.

Cours le mercredi de 18 h à 19 h

LA CAPOEIRA : UN ART BRÉSILIEN

La capoeira mélange le combat, la danse et le jeu. Elle a été inventée par des esclaves africains au Brésil, dans le but de combattre sans en avoir l'air. Les capoeiristes forment un cercle autour de deux joueurs, qu'ils encouragent en chantant et en frappant dans leurs mains. Les jambes et les pieds sont les parties du corps les plus utilisées dans la capoeira, mais la tête et les bras sont aussi utilisés, surtout dans les figures acrobatiques.

Pourquoi la pratiquer ?
- Afin d'apprendre à danser et à se défendre.
- Afin de se muscler et d'améliorer son équilibre.
- Afin de s'entraîner en musique.

Cours le vendredi de 19 h à 20 h

LE TAI-CHI-CHUAN : UN ART CHINOIS

Dans le tai-chi, la force du corps vient du souffle et de la fluidité des gestes. Afin de les développer, les mouvements sont d'abord travaillés très lentement et s'accélèrent petit à petit. L'énergie part des pieds et traverse tout le corps pour arriver jusque dans les doigts. C'est un sport très gracieux et relaxant, mais qui peut être redoutable dans les vrais combats.

Pourquoi le pratiquer?
- Pour se sentir bien dans son corps.
- Pour être à la fois énergique et détendu.
- Pour faire du sport en plein air, par exemple dans les parcs.

Cours le samedi de 14 h à 15 h

1. Quel art martial utilise la puissance de l'autre pour gagner le combat ?

2. Quel sport a été inventé pour que les combats ressemblent à des danses ?

3. Quel art martial augmente progressivement la vitesse des gestes pour leur donner plus de force ?

 B. Et toi, est-ce que tu fais ou est-ce que tu aimerais faire un sport de combat ? Si oui, lequel ? Dans quel but ? Si non, pourquoi ? Discutes-en avec tes camarades.

- *J'aimerais faire de la capoeira pour apprendre à me battre et à danser en même temps.*

③

2 **Sports collectifs et individuels**

A. Écoute Marion et Jonathan parler de leurs pratiques sportives et remplis le tableau.

Piste 08

Nos outils

L'expression du but

- **Pour**
  – *On fait du tai-chi **pour** se sentir bien dans son corps.*
- **Dans le but de**
  – *On utilise la force de l'adversaire **dans le but de** le neutraliser.*
- **Afin de**
  – *On fait de la capoeira **afin d'**apprendre en même temps à danser et à se défendre.*

L'expression de l'opposition

- **Mais**
  – *Au début, je n'étais pas très emballé, **mais** finalement ça m'a plu.*
- **Alors que**
  – *On dit qu'il faut être grand pour faire du basket, **alors qu'**il faut surtout être rapide et faire attention aux autres.*
- **Par contre**
  – *Je fais du skate avec mes amis. **Par contre**, je vais toujours seule à la piscine.*
- **Au contraire**
  – *La course, c'est un sport très solitaire. Le basket, **au contraire**, c'est un sport d'équipe !*

	Sports	Seul(e) ?	En groupe ?
Marion	- -	- -	- -
Jonathan	- -	- -	- -

B. À deux, choisissez deux sports, puis écrivez un texte pour les comparer, en insistant sur leurs différences.

On fait de la boxe pour apprendre à se défendre, alors qu'on fait du ping-pong pour avoir plus de réflexes.

C. En groupes, dites quels sont les sports qui vous semblent les meilleurs...

| pour la santé | pour garder le moral |

| pour acquérir l'esprit d'équipe | pour se détendre |

+ d'activités ▶ p. 44-45

Prends soin de toi

1 Détends-toi !

 A. Alex est angoissé. Lis les conseils que lui donnent ses amis pour se détendre, se relaxer. À quelle image correspond chaque conseil ?

Alex
Je suis très angoissé. Je ne sais pas ce que j'ai, je n'arrive pas à bien respirer. Qu'est-ce que je peux faire ?
17:06

Alice
Quand je suis angoissée, j'essaie de mieux respirer. J'inspire profondément, et je gonfle mon ventre comme un ballon. Après, je souffle lentement pour vider mes poumons. Je fais ça pendant quelques minutes et après, ça va mieux !
16:59

Yohan
Si j'étais toi, je déconnecterais. J'éteindrais tous mes appareils électroniques. Fais ça une fois par semaine et tu verras, ça marche.
16:59

Muriel
Si j'étais à ta place, je rirais un bon coup. Moi, quand je suis angoissée, je ris. Avec mes copines, on se marre. Il n'y a pas mieux pour déstresser.
16:59

Laurent
Si j'avais des angoisses, j'irais me poser dans la nature. Tu vas dans un parc, tu t'allonges dans l'herbe. Tu te relaxes. On dirait pas, mais ça fait vraiment du bien...
16:59

 B. Lequel de ces conseils vous semble le meilleur ? Qu'est-ce que vous feriez si vous étiez angoissé comme Alex ? Parlez-en à deux.

• *Si j'étais angoissé, je suivrais le conseil de Laurent et j'irais marcher dans la nature. Pour moi, c'est la meilleure chose à faire.*

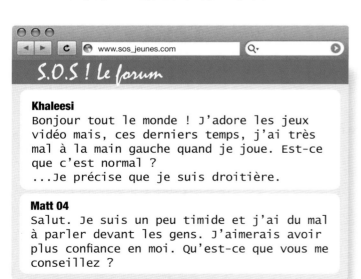

S.O.S ! le forum

Khaleesi
Bonjour tout le monde ! J'adore les jeux vidéo mais, ces derniers temps, j'ai très mal à la main gauche quand je joue. Est-ce que c'est normal ?
...Je précise que je suis droitière.

Matt 04
Salut. Je suis un peu timide et j'ai du mal à parler devant les gens. J'aimerais avoir plus confiance en moi. Qu'est-ce que vous me conseillez ?

 C. Lisez les demandes de conseils postées sur ce forum. À deux, répondez à Khaleesi et à Matt.

Khaleesi, si j'étais à ta place, je ferais des pauses plus souvent.

Matt, si j'étais toi, j'essaierais de faire moins attention à ce que pensent les autres.

2 # Les petits trucs utiles du quotidien

 A. Lis les recettes de ces quatre jeunes. À quelle(s) partie(s) du corps correspond chacune d'elles ?

Le truc de Lou

Pour avoir moins d'acné, fais-toi un masque tous les quinze jours.
- Coupe des feuilles de menthe en petits morceaux.
- Mélange-les avec deux cuillères à soupe de yaourt et des flocons d'avoine.
- Étale ce mélange sur ton visage.
- Garde-le dix minutes en écoutant de la musique.
- Rince-toi la peau à l'eau claire.

Le truc de Ronan

Pour avoir des dents qui brillent...
- Presse un citron et verse le jus sur ta brosse à dents.
- Brosse-toi les dents.

Attention ! Il ne faut pas le faire trop souvent. Une fois par mois, ça suffit. Comme le citron est très acide, il pourrait abîmer tes dents.

Le truc de Ben

Pour être en pleine forme, tu peux te préparer une boisson vitaminée.
- Choisis des fruits (oranges, bananes, mangues, etc.) et des légumes (carottes, tomates, etc.).
- Mixe-le tout en ajoutant un peu de jus de citron.

Prends-en un grand verre chaque matin au petit déjeuner !

Le truc d'Anne-So

Tu as l'air fatigué ?
- Mélange une cuillère à café de miel à un peu d'eau tiède.
- Prends deux disques de coton et trempe-les dans ce mélange.
- Allonge-toi, ferme les yeux et pose un disque de coton sous chaque œill. Attends dix minutes environ.
- Rince-toi le visage.

Vu que le miel est très doux, il n'abîmera pas ta peau. Tu peux utiliser cette recette toutes les semaines.

 B. À quelle fréquence ces jeunes conseillent-ils d'utiliser chacun de leurs « trucs » ?

chaque semaine	tous les mois
toutes les deux semaines	une fois par jour

• *On peut utiliser le massage de Lou toutes les deux semaines.*

 C. Et vous, comment prenez-vous soin de vous ? En groupes, échangez les recettes que vous connaissez.

• *Moi, quand j'ai un bouton, je mets du dentifrice dessus. Mais je ne dois pas le faire trop souvent parce que ça peut abîmer ma peau.*

Nos outils

Si j'étais... + conditionnel

- *Si j'étais toi, j'éteindrais tous mes appareils électroniques.*
- *Si j'étais à ta place, je rirais un bon coup.*
- *Si j'avais des angoisses, j'irais me poser dans la nature.*

La fréquence

- *Prends un cocktail de fruits et légumes chaque matin.*
- *Occupe-toi de tes yeux une fois par semaine.*
- *Brosse-toi les dents avec du citron tous les quinze jours.*
- *Fais-toi un masque une fois par mois.*

La cause évidente

- *Comme le citron est très acide, il pourrait abîmer tes dents.*
- *Vu que le miel est très doux, il n'abîmera pas ta peau.*

Les parties du visage

la joue
l'œil /les yeux
le nez
la bouche
le cou

+ d'activités ▶ p. 44-45

Nos outils

Plus d'activités sur espacevirtuel.emdl.fr

1 Les quantités non précisées

On utilise les articles partitifs pour parler d'une quantité indéterminée :
— *Pour cette recette, il faut **du** chocolat.*
de la *menthe.*
de l' *huile.*
des *amandes.*

À la forme négative, on utilise **pas de** ou **pas d'** :
— *Dans cette recette, il **n'y a pas de** chocolat.*
de *menthe.*
d' *huile.*
d' *amandes.*

A. Complète avec *du, de la, des, de l', d'* ou *de*

1. J'ai bu … café ce matin.
2. Pour faire un gâteau au yaourt, il faut … lait, … farine, … œufs, et … sucre. Tu peux aussi ajouter une pincée … sel.
3. On n'a pas acheté beaucoup … cerises.
4. Je ne vais pas manquer … miel.
5. Vous ne prenez pas … sucre dans votre café ?
6. Il n'y a plus … aubergines.

2 Le pronom *en*

On utilise le pronom **en** pour éviter les répétitions.

Il remplace un complément d'objet direct précédé d'un article partitif (**du, de la, de l', de, d'**).
● *Elle fait <u>de la danse</u> depuis longtemps ?*
○ *Oui, elle **en** fait depuis 2 ans.*

Il remplace un complément d'objet direct précédé d'un article indéfini (**un, une, des**).
● *Tu veux <u>un morceau de fromage</u> ?*
○ *Oui, j'**en** veux un.*

B. Complète les réponses.

1. Tu fais des arts martiaux ? Non, …
2. Tu mets du sirop d'érable dans ton yaourt ? Oui, …
3. Tu as une recette de masque pour le visage ? Non, …
4. Elle prend des cours de danse africaine toutes les semaines ? Oui, …
5. Vous mangez de la viande deux fois par jour ? Non, …

3 Les connecteurs logiques

Le but

On utilise *pour*, **afin de**, **dans le but de** suivi d'un verbe à l'infinitif pour exprimer le but. L'objectif peut être réalisé ou non : c'est l'intention qui compte.
— ***Pour*** *être en forme, il faut faire du sport.*
— *Tu écoutes de la musique douce **pour** te détendre.*
— *Nous faisons du tai-chi **afin d'**apprendre à mieux respirer.*
— *Elle s'est entraînée **dans le but de** gagner la compétition.*

L'opposition

On utilise **mais**, **par contre**, **alors que** et **au contraire** pour comparer ou opposer deux actions ou informations.
— *Il mange du poisson **mais** il n'aime pas la viande.*
— *Mon frère dort beaucoup, **alors que** moi je suis insomniaque.*
— *Il mange des fruits, **par contre** il ne mange pas de légumes !*
— *Ma sœur n'aime pas le basket. Moi, **au contraire**, j'adore ça !*

La cause évidente

On peut indiquer les causes évidentes d'une action ou d'une information avec **comme** ou **vu que**, généralement placés en début de phrase.
— ***Comme*** *il est stressé, il fait beaucoup de sport.*
— ***Vu que*** *j'aime grimper, je voudrais faire de l'escalade.*

C. Relie entre elles les phrases qui ont été coupées.

1. Vu qu'elle ne dort pas bien,
2. Ma cousine adore l'aïkido,
3. Ils se sont inscrits au club de foot,
4. Comme il est végétarien,
5. Elles ne font pas de skate,
6. Elle se fait un masque chaque mois
7. On peut courir tout seul,

a. … il ne mange ni viande ni poisson.
b. … afin d'avoir moins de boutons.
c. … elle est fatiguée dans la journée.
d. … alors qu'il faut être deux pour jouer au ping-pong.
e. … moi par contre je déteste ça.
f. … mais elles font de la capoeira.
g. … pour faire un sport d'équipe.

4 *Si* + imparfait et conditionnel

On utilise cette construction pour exprimer une hypothèse, une possibilité incertaine ou pour donner des conseils. La proposition au conditionnel peut être placée avant ou après celle qui commence par *si* + imparfait.

— ***Si j'avais*** *le choix, je n'utiliserais pas mon portable tous les jours.*
— *Je mangerais plus de fruits et de légumes,* ***si j'étais*** *toi.*

> **D. Complète les phrases suivantes en utilisant les verbes entre parenthèses.**
>
> 1. J'... (aller) courir chaque semaine, si j'... (avoir) le temps.
> 2. Si j'... (être) allergique au chocolat, je ... (être) très malheureuse.
> 3. Tu ... (avoir) moins de boutons si tu ... (manger) mieux.
> 4. Si je ... (vouloir), je ... (être) très musclé !

5 Les parties du corps

Complète les étiquettes en ajoutant les noms qui manquent.

À deux, vérifiez que vous connaissez les différentes parties du corps. L'un des deux dit le nom d'une partie du corps et l'autre montre où elle se trouve, puis vous échangez.

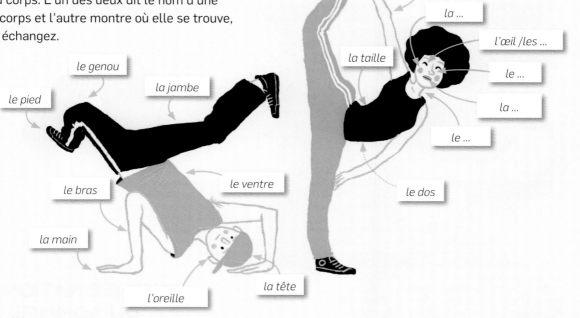

le coude · la ... · l'œil /les ... · le ... · la ... · le ... · la taille · le genou · la jambe · le pied · le bras · le ventre · le dos · la main · la tête · l'oreille

---

Phonétique — Les sons [p], [b], [v] et [f]

A. Quel son entends-tu ? Écoute chaque phrase et trouve le son qui se répète.

Piste 09

1	2	3	4
[p] [b] [v] [f]	[p] [b] [v] [f]	[p] [b] [v] [f]	[p] [b] [v] [f]

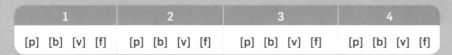

B. À deux, lisez les phrases suivantes à voix haute.

1. Débranche ton portable.
2. J'aime bien le jus de poire, mais je n'aime pas le jus d'abricot.
3. Vu qu'il fait chaud, je vais faire du vélo.
4. Je prends un bol de lait frais tous les vendredis matin.

DANS LES BRAS DE MORPHÉE

Nous passons environ un tiers de notre vie à dormir. Ce n'est pas de la paresse : bien dormir est essentiel pour être en forme physique et psychologique. Mais le sommeil n'est pas toujours facile à trouver. Il peut même être une cause d'inquiétude. Parce que le sommeil est vital, il existe une journée du sommeil, en France, pour rappeler les bienfaits de cette activité réparatrice.

a) Regarde les images et choisis celle qui ressemble le plus à ta façon de dormir. Compare ton choix avec celui de tes camarades.

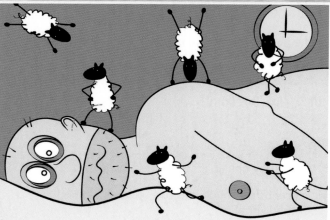

OU LES YEUX GRAND OUVERTS

JEUNES EN MANQUE DE SOMMEIL

L'Institut national de prévention et d'éducation pour la santé (INEPS) publie régulièrement des enquêtes sur le sommeil des jeunes en France.

Deux études menées en 2010 montrent que beaucoup de jeunes Français ne dorment pas assez. Les 15-19 ans dorment 7 h 37 en moyenne, alors qu'ils devraient dormir environ 8 h 24 par nuit. 1 jeune sur 3 ne dort pas assez et les insomniaques sont nombreux : 12 % des jeunes ont beaucoup de mal à s'endormir. Or, le sommeil est indispensable pour réfléchir, se concentrer et ne pas tomber malade. Bien dormir augmente la créativité, l'imagination, la capacité d'inventer. C'est aussi une condition essentielle pour gérer ses émotions et donc être de bonne humeur.

L'usage intensif des écrans (télévision, smartphone, tablette, etc.), les activités sportives tard le soir, les boissons excitantes comme le thé ou le café aggravent souvent les problèmes de sommeil. En revanche, faire du sport dans la journée, dîner léger, lire, essayer de se détendre et se préparer à rêver, tout cela aide à s'endormir… sans compter les moutons.

b) Quelles sont les habitudes de sommeil dans ton pays ?

c) Les jeunes y dorment combien de temps en moyenne ? Fais des recherches sur Internet et compare les informations que tu trouves avec tes propres habitudes de sommeil.

Voici quelques expressions sur le thème du sommeil. Retrouve l'image qui correspond à chacune. Ensuite, cherche leur signification en bas de la page.

compter les moutons	se coucher avec les poules	dormir comme un loir	dormir à la belle étoile

essayer de s'endormir, sans succès	aller au lit très tôt	dormir très bien	dormir en plein air

Notre projet final

Créer une fiche pratique de bien-être

1. Le choix du thème

- ▶ Nous formons des groupes.
- ▶ Dans chaque groupe, nous choisissons un thème pour notre fiche : une activité physique, un soin pour le corps, des conseils d'alimentation, des astuces pour s'endormir plus vite, etc.

2. La rédaction

- ▶ Nous faisons la liste des conseils sur notre thème.
- ▶ Nous vérifions si ces conseils sont pertinents et vraiment efficaces par une recherche sur Internet.
- ▶ Nous trions les conseils pour garder les plus intéressants.
- ▶ Nous organisons nos conseils et nous écrivons notre fiche.

3. La mise en forme

- ▶ Nous choisissons une couleur pour notre fiche.
- ▶ Nous cherchons ou réalisons nous-mêmes des illustrations.
- ▶ Nous finalisons la fiche et nous la présentons à la classe.

ET MAINTENANT...

Reproduisez et réunissez toutes les fiches de la classe pour former un guide pratique que chacun pourra consulter.

Astuce +

- Mettez-vous d'accord sur le format (par exemple, le format A5 ou A4) de toutes les fiches de la classe.
- D'un groupe à l'autre, répartissez-vous les couleurs, en fonction des thématiques que vous choisissez : vert pour le sport, orange pour l'alimentation, bleu pour les soins du corps, etc.

POUR ÊTRE HEUREUX

INGRÉDIENTS
- des amis
- de la passion
- de l'amour
- de la folie

PRÉPARATION
1. Pour être heureux, il faut avoir de bons amis.
2. Ensuite, il faut ajouter de l'amour.
3. On peut mélanger avec de la passion et bien agiter.
4. Servir le tout avec un grain de folie : c'est le sel de la vie !

Conseils pratiques

- Vous pouvez réaliser votre fiche sur papier ou sur ordinateur et, ensuite, l'imprimer.
- Les illustrations peuvent être dessinées par vous, découpées dans des magazines, trouvées sur Internet. Vous pouvez aussi faire des montages en mélangeant différentes images (photos, schémas, dessins, etc.).

LES MÉDECINS FARFELUS

Matériel
- *Feuilles de papier, stylos*

Outils linguistiques
- *Si + imparfait, suivi du conditionnel*
- *Lexique de la santé*
- *Lexique de l'alimentation*
- *Lexique du sport*

15'

But du jeu

Trouver des remèdes décalés, absurdes, à des maladies imaginaires.

Déroulement

1. Asseyez-vous en deux lignes parallèles. Sur une ligne sont assis des malades imaginaires et sur l'autre des médecins farfelus.

2. Prenez chacun un bout de papier. Les malades imaginaires écrivent un symptôme possible, c'est-à-dire un problème de santé virtuel, commençant par « si » suivi d'un verbe à l'imparfait. Par exemple : « Si j'avais mal au ventre... »

3. Ensuite, pliez votre papier et passez-le au joueur d'en face. Les papiers doivent être pliés de façon à ce qu'il ne puisse pas lire la première phrase, mais qu'il puisse en écrire une deuxième.

4. Les médecins farfelus proposent un remède (n'importe quel remède) ayant trait à la santé, l'alimentation, au sport ou au sommeil en le rédigeant au conditionnel. Par exemple : « ...je me ferais un masque pour le visage. »

5. Ramassez, mélangez et redistribuez-vous les papiers. Dépliez les papiers que vous avez reçus et lisez à voix haute le symptôme et le remède écrits sur la feuille. Est-ce que vous suivriez ces conseils ?

6. Puis, tous les malades imaginaires se décalent d'un rang. Prenez de nouvelles feuilles de papier et recommencez.

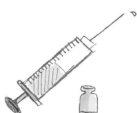

Test

Teste tes connaissances !

Lis les phrases et choisis la bonne réponse. Puis compare avec un camarade.

1 Elle n'est pas du tout...
- **a.** curieux.
- **b.** curieuses.
- **c.** curieuse.

2 On habite au...
- **a.** premier étage.
- **b.** étage un.
- **c.** étage premier.

3 Mon colocataire est...
- **a.** un bavard garçon.
- **b.** un garçon bavard.
- **c.** un garçon bavarde.

4 Elles se sont...
- **a.** disputés.
- **b.** disputé.
- **c.** disputées.

5 On se connait...
- **a.** depuis deux ans.
- **b.** il y a deux ans.
- **c.** ça fait deux ans.

6 C'est mon meilleur ami, ...
- **a.** on ne se connait pas très bien.
- **b.** on s'entend très bien.
- **c.** on ne s'aime pas beaucoup.

7 On ... partir en vacances ensemble.
- **a.** pourrait
- **b.** pourraient
- **c.** pourriez

8 Et si on ... ?
- **a.** l'appeler
- **b.** l'appelait
- **c.** l'appelaient

9 C'est une fille ... j'ai rencontrée pendant les vacances.
- **a.** qui
- **b.** où
- **c.** que

10 C'est le village ... je vais tous les étés.
- **a.** qui
- **b.** où
- **c.** que

11 Il fait ... sport tous les jours.
- **a.** du
- **b.** de
- **c.** des

12 Les végétariens ne mangent pas...
- **a.** d'aubergines.
- **b.** de poisson.
- **c.** de fromage.

13 Tu manges des légumes ?
- **a.** Oui, je en mange.
- **b.** Oui, je mange en.
- **c.** Oui, j'en mange.

14 Tu pourrais m'acheter ... ?
- **a.** une tranche de chocolat
- **b.** une plaque de chocolat
- **c.** une cuillère de chocolat

15 Elle fait de la capoeira ... apprendre à se défendre.
- **a.** pour
- **b.** comme
- **c.** par contre

16 Je déteste aller la piscine ... j'adore nager dans la mer.
- **a.** vu que
- **b.** afin de
- **c.** alors que

17 Si j'étais toi, je ...
- **a.** ferai plus attention.
- **b.** ferais plus attention.
- **c.** ferait plus attention.

18 Elle va courir tous les samedis, elle court...
- **a.** une fois par mois.
- **b.** tous les jours.
- **c.** chaque semaine.

19 On a dormi...
- **a.** à la pleine lune.
- **b.** au grand soleil.
- **c.** à la belle étoile.

20 Bonne nuit ! Fais...
- **a.** de beaux rêves.
- **b.** de rêves beaux.
- **c.** des rêves beaux.

Note : _____ /20

Notre projet final

Réaliser un
court-métrage

Dans cette unité, nous allons...

- décrire des espaces et des objets
- écrire un synopsis
- indiquer la manière de faire une action
- exprimer des émotions

Plantons le décor

 1 **Le décor**

 A. Voici la description du décor d'une scène de film. Compare les indications du texte avec ce que tu vois sur l'image et note les erreurs.

SÉQUENCE 1 – INTÉRIEUR/JOUR

La scène se passe à l'extérieur du café. On peut voir la rue à travers la vitre. Des lampes bleues sont suspendues au-dessous des tables. Trois lampes chauffantes sont accrochées aux murs. Des ardoises posées par terre indiquent les menus et les boissons. Au premier plan, il y a une table avec des sièges tout autour. La table a été préparée pour le petit déjeuner. Un panier avec des tartines et des croissants est posé au milieu de la table, entre deux tasses à café et deux verres de jus de fruit.

 B. Compare tes notes avec celles d'un camarade. Avez-vous trouvé les mêmes erreurs ?

 C. Maintenant, décris une pièce à un camarade qui doit la dessiner selon tes indications. Vérifiez si le dessin correspond bien à la pièce que tu as en tête.

Dans ma chambre, à droite de la porte, il y a un lit. Au-dessus du lit, il y a une lampe. Entre le bureau et la fenêtre...

 Voc +

Les matières des objets
- le bois
- le verre
- le métal
- le plastique
- la porcelaine

4

2 Les costumes

Piste 10

A. Pierre et Maya font du cinéma amateur. Écoute leur conversation et retrouve les vêtements et accessoires que Pierre va porter dans la scène qu'ils vont tourner.

- une perruque
- des lunettes de soleil
- une cravate noire
- un foulard en soie
- un imperméable
- un tailleur
- un gilet noir
- une chemise blanche à manches longues
- un tablier blanc
- une sacoche d'ordinateur
- des chaussures de sport
- des chaussures à talons
- des chaussures en cuir

Nos outils

Situer dans l'espace

- à l'intérieur = dedans
- à l'extérieur = dehors
- à travers = qui traverse
- au-dessus = plus haut que
- au-dessous = plus bas que
- par terre = sur le sol
- tout autour = qui entoure
- au milieu = au centre

Décrire des objets

- **Description**
  - Une chemise **à** manches longues
  - Des chaussures **à** talons

- **Matière**
  - Des chaussures **en** cuir
  - Un foulard **en** soie

- **Fonction**
  - Des lunettes **de** soleil
  - Des chaussures **de** sport

+ d'activités ▶ p. 58-59

 B. Parmi la liste ci-dessus, choisis les accessoires et vêtements nécessaires pour interpréter les rôles suivants.

- une directrice de banque
- un détective privé

 C. Quel personnage historique ou inventé aimerais-tu interpréter au théâtre ou au cinéma ? Décris les vêtements et accessoires que tu porterais.

J'aimerais interpréter le rôle de l'inspecteur Colombo. Je porterais un imperméable beige...

Voc +

Les matières des vêtements
- le cuir
- le coton
- la laine
- le lin

Moteur !

1 Le synopsis

 A. Voici 4 synopsis de films français ou en français. Quel est le synopsis qui correspond à cette image ?

Dans ce film de science-fiction, une jeune étudiante appelée Lucy voit sa vie changer à cause d'une substance mystérieuse. Son intelligence est alors multipliée par dix. Grâce à ses pouvoirs surnaturels, elle pourra aider la police à lutter contre des trafiquants de drogue.

Marcel est cireur de chaussures au Havre. Sa femme, Arletty, est gravement malade. Marcel rencontre par hasard Idrissa, un jeune migrant sans papiers qui essaie d'aller en Angleterre. Mais la police pourchasse les migrants clandestins et les héros auront vraiment besoin de l'aide de tous les gens du quartier.

Ce documentaire animalier montre la vie des grands manchots empereurs dans l'Antarctique. À travers une famille de manchots, on découvre comment ils survivent dans des conditions très difficiles. Ce film nous emmène dans un univers absolument inconnu.

Philippe est un riche Parisien. À cause d'un accident de parapente, il se retrouve paralysé : il ne peut plus bouger. Il a besoin de quelqu'un pour l'aider. Il embauche Driss, un jeune de banlieue qui vient de sortir de prison. Entre les deux hommes marginalisés, à l'écart de la société, va naître une amitié exceptionnelle.

 B. En vous aidant des synopsis, retrouvez le titre de chacun des films.

> Le Havre
>
> La Marche de l'Empereur
>
> Intouchables
>
> Lucy

 D. Maintenant, échangez vos différents synopsis. Quel(s) film(s) aimeriez-vous aller voir ?

 C. À deux, choisissez un titre dans la liste ci-contre ou inventez vous-même un titre en français. Puis écrivez un synopsis de quelques lignes. Pensez aux personnages, au lieu et à l'intrigue de votre film.

> *Le Malicieux Destin de Julie Martin raconte l'histoire d'une jeune Parisienne de 23 ans. À cause d'une boîte de bonbons périmés, elle décide de passer sa vie à embêter les autres, à leur faire des blagues. Va-t-elle y arriver ?*

> **IMPECCABLES**
>
> **LE MALICIEUX DESTIN DE JULIE MARTIN**
>
> **BIENVENUE CHEZ LES GEEKS**
>
> **LA FAMILLE MOUTON**
>
> **LA VIE EST UN PETIT RUISSEAU AGITÉ**

2 Les métiers du cinéma

 A. Lis cette page Internet sur les professions du cinéma et retrouve le nom de métier qui correspond à chaque description.

http://www.touslesmetierspossibles.aplus

Cette personne écrit le scénario, en inventant ou en adaptant une histoire, et en rédigeant les dialogues entre les personnages.

C'est l'auteur du film, qui en contrôle toutes les étapes en dirigeant les acteurs et actrices, en choisissant le lieu du tournage, la façon de filmer, le montage, etc.

Cette personne est responsable du décor et des accessoires du film, en vérifiant que les objets qui apparaissent dans le film sont bien à leur place, par exemple.

Cette personne interprète un personnage du film. Elle joue son rôle en répétant les mêmes gestes, les mêmes paroles, jusqu'à ce que la scène soit parfaite.

Cette personne filme les scènes en variant les plans et les angles pour rendre compte des points de vue des différents personnages.

Cette personne édite le film après le tournage, en triant, en coupant, en déplaçant et en assemblant les scènes qui ont été choisies.

Cette personne traduit le film, en adaptant les dialogues pour le doublage en d'autres langues, ou en rédigeant les sous-titres.

Le caméraman
La caméramane

L'acteur
L'actrice

Le monteur
La monteuse

Le/La scénariste

L'accessoiriste

Le traducteur
La traductrice

Le réalisateur
La réalisatrice

Nos outils

La cause

⊕

– **Grâce à** ses pouvoirs surnaturels, elle pourra aider la police à lutter contre des trafiquants de drogue.

⊖

– **À cause d'**un accident de parapente, il ne peut plus bouger.

Le gérondif

– Cette personne écrit le scénario **en inventant** une histoire.

– Elle joue son rôle **en répétant** les mêmes dialogues jusqu'à ce que la scène soit parfaite.

– Cette personne édite le film après le tournage, **en triant** et **en déplaçant** les scènes qui ont été choisies.

+ d'activités ▶ p. 58-59

Voc +

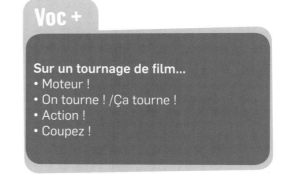

Sur un tournage de film...
• Moteur !
• On tourne ! /Ça tourne !
• Action !
• Coupez !

 B. Parmi ces métiers du cinéma, quel est celui qui t'attire le plus ? Pourquoi ?

• *J'aimerais bien être caméraman, parce que j'aime beaucoup filmer.*

C. En groupes, écrivez des noms de métiers du cinéma sur des petits papiers. À tour de rôle, piochez un papier et faites deviner, en mimant, le métier qui est écrit dessus.

On tourne !

1 Une scène de film

 A. Le film *La Famille Bélier* raconte l'histoire de Paula, une jeune fille dont les membres de la famille (son père, sa mère et son frère) sont sourds . Lis cet extrait de scénario et réponds aux questions.

La scène se passe l'après-midi, dans la ferme de la famille Bélier. Paula est en train de mettre une vache et son veau dans un champ. Elle a l'air triste. Sa mère passe en portant des seaux d'eau. Quand elle voit sa fille, elle s'arrête et pose les seaux par terre. Elle s'approche d'elle et lui touche le bras. Paula se retourne. En langue des signes, sa mère lui propose d'aller faire un tour en ville. Paula demande : « Où ça ? » Sa mère fait le geste de se couper les cheveux, en ouvrant et fermant les doigts comme des ciseaux. « Chez le coiffeur, toutes les deux ? », dit Paula. Elle accepte en agitant la main gauche et dit : « Ouais, ça me fait plaisir. » La mère prend le visage de Paula dans ses mains et la regarde un moment. Elle a l'air d'aimer beaucoup sa fille. Paula ferme les yeux. Sa mère l'embrasse sur la joue.

1. Quelle émotion montre Paula au début de cette scène ?
2. Qu'est-ce que la mère de Paula lui propose de faire ?
3. Comment la mère de Paula montre-t-elle son amour pour sa fille ?

 B. À ton tour, écris le résumé d'une scène de film que tu aimes particulièrement, en précisant les éléments ci-dessous.

> le lieu

> le moment de la journée ou de la nuit

> les personnages

> les actions et les émotions des personnages

> les dialogues (s'il y en a)

> la musique et les bruits

LE SAIS-TU ?

Les langues des signes sont des langues à part entière, qui varient selon les lieux comme les autres langues. La langue des signes française (LSF) est utilisée par 100 000 à 300 000 personnes en France et en Suisse. Le Québec et la Belgique francophone ont leurs propres langues des signes.

Source des chiffres : handicap.fr

2 Le jeu des émotions

Piste 11

A. Émilie joue dans le court-métrage d'Amine. Écoute leur conversation et réponds par *Vrai* ou *Faux*.

Dans la scène, Émilie s'approche rapidement de Clément.	V	F
Elle marche sans faire de bruit.	V	F
Elle a l'air heureuse de le retrouver.	V	F
Il fait semblant d'être surpris.	V	F
Il la salue calmement, sans montrer ses émotions.	V	F

B. Quelles sont les émotions qu'Émilie et Clément doivent jouer dans cette scène ?

la joie   le dégoût

la tristesse   la peur

la surprise   la colère

C. Maintenant, c'est à vous de jouer. Prenez les résumés de scènes que vous avez écrits et jouez-les en groupes, en étant à tour de rôle acteurs et réalisateurs.

Nos outils

Avoir l'air (de)

- *Elle **a l'air** triste.*
- ***Elle a l'air d'**aimer beaucoup sa fille.*

Faire semblant (de)

- *Il **fait semblant** d'être surpris.*
- *Ils **font semblant** d'être très amoureux.*

Les adverbes en -*ment*

- *Elle s'approche **rapidement** de Clément.*
- *Tu poses **doucement** tes mains sur ses yeux.*

*Sans + **infinitif***

- *Elle marche **sans faire** de bruit.*
- *Il la salue calmement, **sans montrer** ses émotions.*

+ d'activités ▶ p. 58-59

Plus d'activités sur
espacevirtuel.emdl.fr

1 Situer dans l'espace

On utilise les prépositions de localisation pour situer un élément dans l'espace ou par rapport à un autre élément.

- **à l'intérieur (de)** = dedans
- **à l'extérieur (de)** = dehors
- **à travers** = qui traverse une matière
- **au-dessus (de)** = plus haut que / sur quelque chose
- **au-dessous (de)** = plus bas que / sous quelque chose
- **par terre** = sur le sol
- tout autour (de) = qui entoure quelque chose
- **au milieu (de)** = au centre de

A. Complète les phrases en utilisant les prépositions de localisation.

1. Le tapis est posé …
2. Tu vois la fontaine … de la place ?
3. La terrasse est … du café.
4. Il y a un gros nuage … du lac.
5. C'est joli, ces arbres … de la maison.
6. La lumière du soleil passe … la vitre.

2 Décrire des objets

On utilise les prépositions **à**, **en** et **de** pour préciser les caractéristiques, la matière ou la fonction d'un objet.

Pour indiquer une caractéristique, on utilise souvent **à** (parfois **de**).
— *Il porte une chemise **à** carreaux.*

Pour indiquer une matière, on utilise souvent **en** (parfois **de**).
— *Une table **en** verre.*

Pour indiquer une fonction, on utilise souvent **de** (parfois **à**).
— *Tu n'as pas vu mon sac **de** sport ?*

B. Complète avec *à*, *en* ou *de*.

1. Un blouson … cuir.
2. Des lunettes … piscine.
3. Une jupe … rayures.
4. Un étui … plastique.
5. Une tenue … soirée.
6. Une robe … manches courtes.
7. Une serviette … plage.

3 La cause

Pour indiquer une cause, on peut utiliser **parce que**, qui est neutre et qui peut être suivi d'une action, donc d'un verbe.

Pour préciser si cette cause a eu des effets positifs, on utilise **grâce à**. Et pour une cause avec des effets négatifs, on utilise **à cause de**.
— ***Grâce à** toi, on a pu faire un beau court-métrage.*

— *On a dû refaire la scène **à cause d'**un problème technique.*

C. Complète les phrases avec *parce que*, *grâce à* ou *à cause de*.

1. Je pleure … le film était triste.
2. Elle est en colère … l'acteur principal.
3. C'est … ce film que j'ai découvert les courts-métrages.
4. On a raté la séance de 21h… d'un problème dans le métro.
5. J'ai vu plein de films géniaux … elle.

4 Le gérondif et *sans* + infinitif

On utilise le gérondif pour expliquer, avec un verbe, la manière de réaliser une action, ou lorsque deux actions sont simultanées. Il se construit avec le participe présent.

Pour indiquer, au contraire, que deux actions ne sont pas simultanées, on utilise **sans** suivi d'un verbe à l'infinitif.

— *À la fin de la scène, il regarde son frère **en souriant**.*
— *À la fin de la scène, il regarde son frère **sans sourire**.*

— *La réalisatrice dirige les acteurs **en** leur **expliquant** les émotions de leurs personnages.*
— *La réalisatrice dirige les acteurs **sans** leur **expliquer** les émotions de leurs personnages.*

D. Complète les phrases en mettant les verbes entre parenthèses au gérondif.

1. (manger) On regarde le film … du popcorn.
2. (choisir) Il a fait le montage … les plus belles scènes.
3. (filmer) Elle a fait son court-métrage … avec un téléphone portable.
4. (mettre) On a remercié les gens qui nous ont aidés … leur nom dans le générique.

5 Les adverbes en *-ment*

Pour indiquer la manière de faire une action ou pour introduire une opinion, on peut aussi utiliser des adverbes (**bien**, **vite**, **trop**, etc.). De nombreux adverbes sont formés à partir d'un adjectif, au masculin ou au féminin, auquel on ajoute le suffixe **-ment**.

Doux (masc.), douce (fém.) → douce**ment**

— *Ils parlent **doucement**, mais on entend bien le dialogue.*

Rapide (masc.), rapide (fém.) → rapide**ment**

— *On est entrés **rapidement** dans le cinéma.*

Vrai (masc.), vraie (fém.) → vrai**ment**

— *On va **vraiment** réaliser un court-métrage.*

⚠️ Si l'adjectif initial se termine par **-ent**, l'adverbe se termine par **-emment**. Si l'adjectif finit par **-ant**, l'adverbe finit par **-amment**

— ***étonnant*** → *étonn**amment***

E. Dans les phrases suivantes, ajoute l'adverbe manquant à partir des adjectifs entre parenthèses.

1. (simple) Tu dois ... avancer vers la caméra et faire un signe de la main.
2. (calme) Elle doit parler ... alors qu'elle est très en colère.
3. (sincère) Je te le dis ... : je trouve que tu es parfait dans ce film.
4. (franche) Pour parler ..., je pense que ce film est très ennuyeux.
5. (évident) C'est encore toi qui prends le meilleur rôle, ...

6 L'apparence et la simulation

Avoir l'air (de)

On utilise l'expression **avoir l'air (de)** pour exprimer quelque chose d'apparent, qui se voit, mais qui n'est pas sûr. C'est juste une supposition. Il est suivi d'un adjectif ou d'un verbe à l'infinitif.

— *À la fin de la scène, il **a l'air** très étonné.*

— *Le public **a l'air d'**adorer le film.*

⚠️ Quand **avoir l'air de** est suivi d'un groupe nominal, il est synonyme de **ressembler**.

— *Avec ces lunettes, tu **as l'air d'**une star de cinéma.*

Faire semblant (de) + verbe à l'infinitif

On utilise l'expression **faire semblant (de)** pour indiquer qu'une action n'est pas réellement faite, que ce n'est pas vrai, ou que la personne n'est pas sincère.

— *Quand on joue, on **fait semblant de** ressentir plein d'émotions.*

— *Ne montre pas que tu es en colère : **fais semblant** d'être content.*

F. Complète les phrases en choisissant entre *avoir l'air (de)* et *faire semblant (de)*.

1. Les spectateurs ... très contents. Je pense qu'ils ont aimé le film.
2. L'héroïne n'est pas vraiment morte : elle ...
3. On ... de se battre dans la scène de la bagarre.
4. Il ... très déçu de n'avoir pas eu le rôle principal.
5. On pourrait ... de courir pour faire croire qu'on est pressés.
6. Ils ... de bien s'amuser sur le tournage. Et si on allait avec eux ?

Phonétique La prosodie des émotions

Piste 12

A. Écoute les phrases et entoure l'émotion exprimée par le ton.

1	2	3	4	5	6	7	8
tristesse joie colère surprise	tristesse joie colère surprise	tristesse joie colère surprise	tristesse joie colère surprise	tristesse joie colère surprise	tristesse joie colère surprise	tristesse joie colère surprise	tristesse joie colère surprise

B. À deux, choisissez une phrase et entraînez-vous à la dire en exprimant différentes émotions.

MAG.COM COURTS-MÉTRAGES

Quand on pense au cinéma, on pense d'abord aux longs-métrages, qui durent au moins une heure. Pourtant, la très grande majorité des films réalisés dans le monde sont des courts-métrages, c'est-à-dire des films de moins de 30 minutes. Les courts-métrages ont de plus en plus de succès, notamment sur Internet. Voici trois festivals qui les mettent à l'honneur.

Le Très Court International Film Festival est né en 1999. C'est un événement mondial qui se déroule en même temps dans 24 pays et plus de 100 villes. 50 films participent chaque année à sa compétition internationale. Tous les genres de courts-métrages sont acceptés : fictions, documentaires, animations, clips musicaux, blogs-vidéos, etc. L'important est que les films ne dépassent pas 3 minutes. Chaque ville qui accueille le festival peut aussi organiser des projections de films hors compétition sur des thématiques particulières.

Le Mobile Film Festival a été créé en 2005 en France autour d'un principe simple : un court-métrage d'une minute, réalisé avec un téléphone portable. L'objectif est de faire passer un message de façon rapide et efficace sur une thématique qui change chaque année. 6 prix récompensent le meilleur scénario, la meilleure mise en scène, la meilleure actrice, le meilleur acteur et le meilleur court-métrage. Ces prix sont attribués par un jury de professionnels du cinéma et par le public, qui vote aussi.

LES FESTIVALS DU FILM COURT

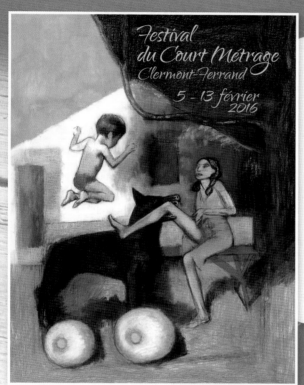

Festival du Court Métrage
Clermont-Ferrand
5 - 13 février 2016

Le Festival du Court-Métrage de Clermont-Ferrand a lieu chaque année dans le Centre de la France depuis 1982. Des courts-métrages de durées différentes, venus du monde entier, y sont projetés. Une école éphémère de cinéma propose également des ateliers sur les effets spéciaux, le plateau de tournage, la composition de musiques de film, etc. Ce festival a permis de faire connaître des réalisateurs et réalisatrices de films actuels. Après le célèbre Festival de Cannes, c'est le festival français qui reçoit le plus de spectateurs.

FESTIVAL DU COURT MÉTRAGE
CLERMONT-FERRAND

Repérage

En lisant les textes, trouve le festival qui...

a. ... est le plus ancien.

b. ... projette des courts-métrages filmés avec un téléphone.

c. ... se déroule dans de nombreux endroits différents.

d. ... projette des courts-métrages de soixante secondes.

e. ... organise aussi des ateliers de cinéma.

f. ... accepte des vidéoclips en compétition.

Quels sont les festivals de films qui ont lieu dans ton pays ? Fais des recherches sur Internet pour connaître leurs thématiques et les caractéristiques des films qu'ils projettent.

Réaliser un court-métrage

1. Le scénario

▶ En groupes, nous choisissons le thème et le titre de notre court-métrage.

▶ Nous écrivons le synopsis de notre film et nous lui donnons un titre.

▶ Nous définissons les rôles de chacun dans le groupe : qui va écrire le scénario, qui va mettre en scène, qui va jouer, qui va filmer, qui va monter le film, etc.

▶ Nous écrivons le scénario en rédigeant les dialogues et en donnant des précisions sur ce qui se passe dans les différentes scènes, les émotions des personnages, etc.

2. Le tournage

▶ Nous choisissons les lieux et les moments où nous allons filmer nos scènes. Nous préparons les accessoires.

▶ Nous répétons les scènes avant de les filmer. Puis nous filmons les scènes, en les rejouant autant de fois que nécessaire.

3. La mise en forme

▶ Nous choisissons les meilleures scènes et nous les assemblons pour composer notre film.

▶ Nous préparons le générique de notre film, avec le titre et les noms de toutes les personnes qui y ont participé.

▶ Nous traduisons les dialogues pour préparer des sous-titres.

ET MAINTENANT...

Organisez une projection de votre court-métrage à laquelle vous inviterez votre famille et vos ami(e)s.

Astuce +

Choisissez une histoire simple qui peut être racontée par un film de 1 à 5 minutes.

Quand vous jouez, parlez bien fort pour qu'on entende bien les dialogues du film.

Pensez à l'éclairage : un film a besoin de beaucoup de lumière.

N'oubliez pas la musique du film !

Conseils pratiques

- Vous pouvez filmer avec une caméra, un appareil photo numérique, ou encore avec un ou plusieurs téléphones portables.

- Il existe de nombreux sites et logiciels gratuits en ligne pour aider à monter et à sous-titrer des films. N'hésitez pas à les utiliser.

LA LETTRE ÉMOUVANTE

Matériel
- *Des feuilles blanches*
- *Des enveloppes*

Outils linguistiques
- *Lexique des émotions*
- *La cause : parce que, à cause de, grâce à*

But du jeu

Jouer des émotions.

Déroulement

1. Glissez une feuille blanche dans une enveloppe.

2. Placez-vous en cercle. Chacun choisit deux émotions différentes sans les dire aux autres. Choisissez aussi une bonne raison de passer d'une émotion à l'autre.

3. L'un de vous se place au milieu du cercle. Il fait semblant de rentrer chez lui en mimant sa première émotion.

4. Il ouvre la lettre et fait semblant d'en lire le contenu. Son visage exprime alors la deuxième émotion.

5. Les autres joueurs doivent deviner quelles sont les deux émotions et faire des hypothèses sur le contenu de la lettre. Par exemple : « Tu étais joyeux et maintenant tu es en colère. C'est à cause de ton voisin. Il se plaint parce que tu fais trop de bruit. »

6. Quand les émotions et leurs causes ont été devinées, un autre joueur prend l'enveloppe et la lettre, et vient se placer au milieu du cercle.

Vous savez déjà faire beaucoup de choses !

Vous allez faire le bilan de ce que vous avez appris dans les unités 3 et 4.

En groupes, complétez ces encadrés avec d'autres phrases.

Vous pouvez utiliser de grandes feuilles pour ensuite les coller sur les murs de la classe.

Indiquer une fréquence

— *Je bois un grand verre de lait tous les matins.*
— *On regarde un film une fois par semaine.*

Expliquer des buts, des objectifs

— *Je vais dans la nature pour me détendre.*
— *On discute afin de se répartir les rôles du film.*

Donner des précisions sur des objets

— *Je veux une chemise à manches longues.*
— *C'est une robe en coton.*

Présenter des informations opposées

— *J'aime le cinéma, par contre je n'aime pas beaucoup le théâtre.*
— *Moi, je dors très bien la nuit. Ma sœur, au contraire, elle est insomniaque.*

Indiquer la manière de faire une action

— *Elle regarde la caméra en souriant.*
— *Il reste debout dans la pièce, sans bouger.*
— *Elle parle doucement.*

Notre projet final

Lancer une initiative collective

Dans cette unité, nous allons...

- présenter l'importance d'un problème
- expliquer des causes et des conséquences
- donner notre avis et débattre
- parler de moyens d'agir et d'alternatives

C'est grave !

1 Le problème de l'eau

 A. Voici l'extrait d'un rapport d'une organisation internationale sur un problème mondial. Quel est le problème ?

le travail des enfants	l'accès à l'éducation	l'inégalité des sexes
le harcèlement virtuel	la déforestation	l'accès à l'eau potable

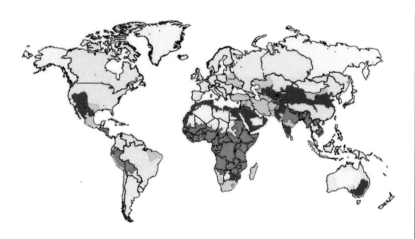

☐ Accès à l'eau potable généralement suffisant.
■ Manque d'eau potable pour cause de sècheresse.
▧ Manque imminent d'eau potable, sècheresse croissante.
▨ Manque d'accès à l'eau surtout pour des raisons économiques.
☐ Informations non disponibles.

LE MONDE A SOIF !

■ 3,6 milliards d'êtres humains, soit **50 % de la population mondiale**, boivent de l'eau potentiellement dangereuse pour leur santé.

■ 2,4 milliards de personnes, soit **1 habitant de la planète sur 3**, n'ont pas du tout accès à l'eau potable.

■ **3,4 millions de personnes** meurent chaque année de maladies liées à l'eau. La plupart sont des enfants : **un enfant meurt toutes les 20 minutes** à cause du manque d'accès à l'eau potable.

■ **80 % des maladies** sur la Terre sont liées à l'accès inégal à l'eau potable.

Source : rapport OMS/UNICEF 2013

 B. Retrouve dans le texte les passages correspondant aux étiquettes suivantes.

la moitié des habitants de la planète

le tiers de la population mondiale

la majorité des personnes qui meurent

la plupart des maladies

C. Connaissiez-vous ces chiffres ? Saviez-vous que le manque d'eau potable touchait autant de personnes dans le monde ?

● *Moi, je ne savais pas que la moitié des gens dans le monde n'ont pas d'eau potable. C'est vraiment très grave !*

 D. À deux, choisissez un problème mondial qui vous intéresse particulièrement. Faites des recherches pour trouver des chiffres, des statistiques liés à ce problème et présentez-les oralement à la classe.

2 # Harcèlement en ligne

 A. Lis cet article de site Internet. De quel problème parle-t-il ? Quelles sont les conséquences de ce problème pour les victimes ? Et pour les agresseurs ?

`http://www.informations.aplus`

LE HARCÈLEMENT EN LIGNE

Anissa Laouk | 10 Déc. 2015 | 15h39

facebook | **Blogger** | **vimeo** | **You Tube** | **twitter**

Le cyber-harcèlement ou cyberbullying est l'utilisation d'Internet ou des téléphones mobiles (messages, forums, blogs, réseaux sociaux, etc.) pour faire du mal à quelqu'un. Il peut passer par des insultes, des menaces, du chantage, des fausses rumeurs, des attaques contre la vie privée, la création de faux profils, etc.

Les jeunes sont les premières victimes du cyber-harcèlement. D'après une étude menée en 2013 par l'Observatoire des droits de l'Internet, un jeune sur trois aurait été victime du cyberbullying en Europe. Les filles (58 %) sont plus souvent victimes d'attaques par Internet que les garçons (42 %).

Le cyber-harcèlement est un problème grave et ses conséquences peuvent être terribles. La victime n'a plus aucun espace où elle se sent en sécurité. Internet est partout, alors elle n'est plus protégée nulle part : ni chez elle, ni au collège ou au lycée, ni avec ses amis. Ses relations avec les autres deviennent très difficiles ; le harcèlement provoque donc un très grand mal-être. Beaucoup de victimes tombent malades, souffrent d'anxiété ou de dépression. Elles doivent souvent changer d'école ou déménager. Il y a même des suicides. Les conséquences pour les agresseurs, les auteurs du harcèlement, sont également graves : perte d'amitiés, exclusion scolaire, culpabilité, dépression... Le cyber-harcèlement est interdit, donc les agresseurs peuvent être condamnés à payer une forte amende et aller en prison.

Les jeunes qui sont victimes, témoins ou auteurs de harcèlement doivent en parler avec des adultes en qui ils ont confiance et qui pourront les aider à résoudre ce problème.

 B. As-tu déjà entendu des histoires de cyber-harcèlement ? Écris un texte pour raconter ce qui s'est passé et quelles en ont été les conséquences.

L'an dernier, il y a un garçon dans mon collège qui a été victime de harcèlement. On a mis des photos de lui sur Internet avec des insultes et des mensonges. Les agresseurs ont été exclus du collège.

 C. Si vous étiez témoins d'un harcèlement, qu'est-ce que vous feriez ? En groupes, parlez de la façon dont vous pourriez aider à résoudre un tel problème.

• *Si j'étais témoin d'un harcèlement, j'en parlerais avec mes amis et mes parents pour qu'ils préviennent la directrice.*

Nos outils

Les pourcentages et proportions

– **50 % des êtres humains** boivent de l'eau potentiellement dangereuse pour leur santé.
– **80 % des maladies** sur la Terre sont liées à l'inégal accès à l'eau potable.
– **La moitié** des humains boit de l'eau.
– **Le tiers** de l'humanité n'a pas accès à l'eau potable.

Les collectifs

• **La moitié**
– **La moitié** des habitants de la planète boit de l'eau dangereuse pour la santé.

• **La majorité**
– Dans **la majorité** des cas, l'agresseur utilise un pseudonyme.

• **La plupart**
– **La plupart** des décès causés par le manque d'accès à l'eau potable se produit chez les enfants.

La conséquence

• **Donc**
– Ses relations avec les autres deviennent très difficiles ; le harcèlement provoque **donc** un très grand mal-être.
– Le cyber-harcèlement est interdit, **donc** les agresseurs peuvent être condamnés à payer une forte amende et aller en prison.

• **Alors**
– Internet est partout, **alors** la victime n'est plus protégée nulle part.

+ d'activités ▶ p. 72-73

On s'implique !

1 Jeunes et engagés

 A. Les « Défis étudiants » sont des prix donnés depuis 1985 par l'université de Sherbrooke, au Québec. Chaque année, ils récompensent des étudiants qui se sont particulièrement impliqués dans des actions bénévoles. Lis les présentations des actions menées par trois gagnants et remplis le tableau.

Cadeaux de Noël pour les sans-abri

D'après Caroline, les fêtes de fin d'année sont la période la plus difficile pour les personnes sans logement. C'est pourquoi cette étudiante a distribué, le jour de Noël, environ 50 sacs à dos à des gens qui vivent dans la rue à Montréal. Grâce aux dons qu'elle a récoltés, elle a rempli ces sacs de vêtements chauds et de sacs de couchage. Ils contenaient aussi des chèques-cadeaux pour que les sans-abri puissent s'acheter des cadeaux de Noël. Pour son action, Caroline a reçu le « Défi Étudiant » dans la catégorie « Solidarité » en 2014.

La science à la portée de tous et toutes

De nombreux jeunes, et surtout les filles, croient que la science est inaccessible. En 2014, Alexis a reçu le Prix Défi étudiant dans la catégorie « Audace ». Ce prix récompensait son engagement dans des programmes de vulgarisation scientifique, visant à rendre la science plus claire et plus attractive. Il a notamment participé au programme « Les filles et les sciences », qui encourage les jeunes filles à mieux connaître les métiers de la science et donc à faire des carrières scientifiques.

Rouler sans polluer

Des passionnés de cyclisme, qui trouvent qu'on utilise des moyens de transport trop polluants, ont créé le collectif La Déraille. Cette association encourage les étudiants de l'université de Sherbrooke à se déplacer en vélo. Grâce à une campagne d'appel aux dons, elle a réussi à récolter assez d'argent pour ouvrir un atelier de réparation de vélos sur le campus. En plus de formations pour apprendre à s'occuper de son vélo, elle offre à ses 250 membres des cours de mécanique et des pièces détachées à petit prix. Cette initiative a reçu en 2015 le Prix Défi étudiant dans la catégorie « Développement durable ».

	Quel problème ?	Pour quel public ?	Quelles actions ?
Alexis			
Caroline			
La Déraille			

 B. Que pensez-vous de ces trois actions ? À deux, dites celle qui vous paraît la plus utile et celle qui vous paraît la plus originale.

- *Je trouve que l'initiative la plus utile, c'est celle de Caroline. Et l'initiative la plus originale, d'après moi, c'est celle d'Alexis.*

 C. Est-ce que tu as déjà fait du bénévolat ? Si oui, raconte ton expérience à tes camarades. Si non, est-ce que tu aimerais en faire ? Pourquoi ?

 Voc +

Solidarité et action collective
- s'engager = s'impliquer = participer activement
- une initiative = une nouvelle action ou proposition
- être solidaires = s'aider = s'entraider
- créer/fonder une association
- les membres d'une association
- être bénévole = être volontaire

2 Il faut qu'on soit solidaires !

Piste 13

A. Écoute le témoignage de Julien. De quelle expérience parle-t-il ?

B. D'après Julien, quelles sont les solutions aux problèmes de Simon ? Associe les morceaux de phrases.

Comme Simon a des problèmes au lycée, •	• … il faut que quelqu'un l'écoute.
Vu que Simon a des problèmes avec sa famille, •	• … il faut qu'on soit solidaires.
Parce que beaucoup de jeunes ont des problèmes, •	• … il faut l'aider à faire ses devoirs.

 C. En groupes, cherchez une initiative de jeunes solidaires dans votre pays. Écrivez un petit texte pour la présenter à la classe.

Dans notre pays, il y a une association de jeunes qui récolte de l'argent pour les enfants des rues…

 D. Chaque groupe présente l'initiative qu'il a choisie à la classe. Votez pour celle qui vous paraît la plus intéressante et faites un « top » des 3 meilleures initiatives.

Nos outils

Donner son avis

- **D'après moi/toi/il/elle…**
  – *D'après Caroline*, les fêtes de fin d'année sont très difficiles pour les sans-abri.

- **À mon/ton/son avis**
  – *À mon avis*, on n'a pas le choix : il faut qu'on soit solidaires si on veut faire changer les choses.

- **Trouver que**
  – *Ils **trouvent que** les gens utilisent des moyens de transport trop polluants.*

Il faut que + subjonctif

- *Il faut que quelqu'un **soit** là pour lui.*
- *Il faut qu'on **soit** solidaires si on veut faire changer les choses.*

+ d'activités ▶ p. 72-73

1 # Comment soutenir une action ?

 **A.** Lis cet article. De quoi parle-t-il ?

---

www.engagement_au_quotidien.aplus

Il existe de nombreuses façons d'encourager des actions collectives et solidaires. En plus des moyens traditionnels, Internet offre de nouvelles possibilités de financement aux ONG et associations. On peut aujourd'hui soutenir une action d'un simple clic.

La pétition

Une pétition est une demande envoyée à une autorité (direction, gouvernement, etc.) et signée par un grand nombre de personnes. Par une pétition, on peut expliquer un problème aux gens et les faire participer à sa résolution. Aujourd'hui, les pétitions se font généralement par Internet et une pétition peut circuler dans le monde entier.

Le buzz

Le principe du buzz (qui veut dire « bourdonnement » en anglais) est de faire circuler une information grâce à Internet. On peut participer à un buzz en partageant un lien via des messages ou des réseaux sociaux, en affichant en créant un groupe de soutien, en cliquant sur une icône pour dire qu'on aime une initiative, etc. De nombreuses associations donnent, sur leur site Internet, des affiches, des avatars ou des films à faire circuler en ligne.

Le don

Faire un don à une organisation ou une association solidaire reste un moyen très actuel de soutenir une action. On peut aider des associations ou des organisations à remplir leur mission en donnant. Les dons sont souvent des dons d'argent, mais ils sont parfois en nature : nourriture, vêtements, livres, matériel, etc.

L'achat solidaire

À travers l'achat solidaire, on verse de l'argent pour financer une cause ou une association. Beaucoup d'associations vendent des tee-shirts, des objets utiles pour l'informatique ou la maison, et même de la nourriture (chocolat, riz, biscuits, etc.). L'achat solidaire peut être accompagné d'un don.

 B. Que pensez-vous de ces différents moyens de soutenir une action ? En connaissez-vous d'autres ?

 C. En groupes, répartissez-vous les différents moyens d'action évoqués dans l'article et en classe. Chaque groupe doit défendre son moyen en écrivant un texte qui en présente les avantages.

2 Troc de savoir-faire

Piste 14

A. Lise et Aurèle participent à une émission de radio qui parle des banques du temps. Écoute leur témoignage et réponds par *Vrai* ou *Faux*.

www.banques_du_temps.aplus

Banques du temps
• Échangez du temps
• Échangez vos savoir-faire

ITALIEN

COURS DE GUITARE

Lise V. - Essonne
POSTÉ LE 08/08

Je cherche : des cours de guitare.

Je sais : parler italien, coudre, faire de l'escalade.

Contacter

Aurèle P. - Paris
POSTÉ LE 12/08

Échange cours de guitare contre cours de langue.

Contacter

Une banque du temps permet d'échanger des savoir-faire plutôt que de payer pour des services.	V	F
Lise a mis une annonce dans une banque du temps au lieu de prendre des cours de guitare.	V	F
Plutôt que de ne rien faire de ses soirées, Aurèle a décidé d'apprendre l'italien.	V	F
Au lieu de continuer leur échange, Lise et Aurèle prennent des cours dans une école.	V	F

B. Connaissais-tu ce système d'échange ? As-tu déjà participé à un échange de services ou de savoir-faire ?

C. Quels savoir-faire pourrais-tu proposer dans une banque du temps ? Discutes-en avec un camarade qui présentera ton offre à la classe.

Nos outils

Les moyens

• **à travers**
– *À travers l'achat solidaire, on donne de l'argent pour financer une cause ou une association.*

• **en partageant / en donnant...**
– *On peut participer à un buzz en partageant un lien via des messages ou des réseaux sociaux.*

• **par**
– *Par une pétition, on peut expliquer un problème aux gens et les faire participer à sa résolution.*

L'alternative

• **Au lieu de**
– *Lise a mis une annonce dans une banque du temps au lieu de prendre des cours de guitare.*

• **Plutôt que de**
– *Plutôt que de ne rien faire de ses soirées, Aurèle a décidé d'apprendre l'italien.*

+ d'activités ▶ p. 72-73

Nos outils

Plus d'activités sur
espacevirtuel.emdl.fr

1 Les proportions et les collectifs

Quand on parle de personnes, on utilise les **collectifs**, les **proportions** et les **pourcentages** pour évoquer une partie, plus ou moins importante, d'un groupe de gens.

Souvent, on utilise :

- les **pourcentages** pour donner des **indications très précises**,

- les **proportions** pour donner une idée de l'**importance** de ce qu'on évoque,

- et les **collectifs** pour **résumer** une situation.

On peut les utiliser pour parler d'un même groupe de personnes.

Les **pourcentages** vont de 0 à 100 et sont suivis du signe %.

— *66 % des jeunes Canadiens ont fait du bénévolat.*

Les **proportions** les plus courantes sont : *le quart, le tiers, la moitié, les deux tiers, les trois quarts* et *la totalité*.

— *Les deux tiers des jeunes Canadiens ont fait du bénévolat.*

On peut aussi évoquer les proportions avec les expressions suivantes : *un sur deux*, *un sur trois*, *un sur quatre*, etc. jusqu'à dix.

— *Deux jeunes Canadiens sur trois ont fait du bénévolat.*

Les **collectifs** : on utilise *la majorité* et *la plupart* pour indiquer que plus de la moitié (50 %) des membres d'un groupe sont concernés. Ils sont synonymes.

— *La plupart des jeunes Canadiens ont fait du bénévolat.*
— *La majorité des jeunes Canadiens ont fait du bénévolat*

A. Complétez les phrases suivantes en choisissant les proportions les plus proches des pourcentages entre parenthèses.

1. (23 %) ... des Européens de plus de 15 ans font du bénévolat.
2. (32%) ... des Français adultes font du bénévolat.
3. (45 %) ... des Français sont membres d'une association.
4. En France, (23 %) ... des actions bénévoles se font dans des associations sportives.

2 La conséquence

Pour introduire les conséquences d'un fait, d'un état, d'un événement positif ou négatif, on utilise *alors* ou *donc*. Ils sont synonymes, mais alors est plus souvent utilisé à l'oral et donc est un peu plus fréquent à l'écrit.

Les conséquences introduites par *donc* et *alors* sont toujours placées après la présentation du problème.

— *Ils n'ont pas d'eau potable, donc ils boivent de l'eau non potable et ils tombent malades.*

— *On veut protester alors on vient à la manifestation.*

B. Relie les morceaux de phrases en choisissant entre *donc* ou *alors* (équivalents) et *parce que*.

1. Ils ont un problème, ... il faut les aider.
2. On voulait ouvrir un local pour faire la fête, ... on a créé une association.
3. Il faut qu'on soit solidaires ... c'est la crise.
4. Je voulais faire quelque chose d'utile ... j'ai fait du bénévolat.
5. On n'a pas le choix, ... on y va !

3 *Il faut que* + subjonctif

Pour exprimer l'obligation, on peut utiliser **il faut** suivi d'un verbe à l'infinitif. Mais si on veut préciser le sujet, la ou les personnes concernées, on utilise **il faut que** suivi d'un verbe au subjonctif présent. C'est la présence de **que** qui permet de savoir si le verbe doit être à l'infinitif ou au subjonctif.

— **Il faut** <u>faire</u> du bénévolat.
— **Il faut que** <u>je fasse</u> du bénévolat.

C. Complète les phrases suivantes en choisissant entre infinitif et subjonctif.

1. Il faut (s'engager/on s'engage) ... si on veut que les choses changent.
2. Il faut qu' (faire/on fasse) ... plus attention à l'eau potable.
3. Il faut que (trouver/tu arrêtes) ... d'écrire des messages insultants.
4. Il faut (être/on soit) ... généreux : et si on faisait un don ?

4 Les moyens et les alternatives

Les moyens

Pour indiquer les moyens de faire quelque chose, il y a plusieurs possibilités :

• On peut utiliser un **verbe au gérondif** (en signant, en s'engageant, etc.).

— *Nous allons faire connaître notre action **en faisant** une campagne d'information.*

• On peut aussi utiliser **par** ou **à travers** suivis d'un groupe nominal. Ils sont équivalents.

— *Nous allons faire connaître notre action **par** une campagne d'information.*
— *Nous allons faire connaître notre action **à travers** une campagne d'information.*

Les alternatives

Pour indiquer qu'il serait mieux de faire une action à la place d'une autre action, on utilise **plutôt que de** ou **au lieu de** suivi d'un verbe à l'infinitif.

— ***Au lieu de** ne rien faire, on peut lancer une pétition.*
— *À mon avis, on devrait vendre des tee-shirt **plutôt que de** faire un appel aux dons.*

D. Complète les phrases avec *par* ou *à travers* (au choix, parce qu'ils sont équivalents), ou alors avec *plutôt que de* ou *au lieu de* (au choix aussi).

1. ... te plaindre, essaie de faire changer les choses !
2. On va informer tout le monde ... une campagne d'information.
3. Il faut dire qu'elle se fait harceler ... laisser faire.
4. On devrait fermer le robinet ... de laisser couler l'eau.
5. ... des dons, on peut aider cette association à venir en aide aux sans-abri.
6. On peut réclamer plus de vacances ... une pétition.

Phonétique Les sons [g], [gn] et [ng]

Piste 15

Écoute ces 3 phrases et trouve, dans chacune, le mot contenant le son indiqué dans le tableau.

1 : [g]	2 : [gn]	3 : [ng]

[**g**] comme dans *engagé(e)s*

[**gn**] comme dans *ga**gn**er un prix*

[**ng**] comme dans *crowfundi**ng***

FÊTES
SOLIDAIRES

Aider, soutenir, militer, défendre, on peut aussi le faire en chantant, en dansant et en s'amusant. Les associations l'ont bien compris et elles sont nombreuses à organiser de grandes fêtes. Voici trois exemples de festivals qui visent à rendre le monde meilleur.

TISSÉ MÉTISSÉ

À Nantes, dans l'ouest de la France, l'association Tissé Métissé lutte contre le racisme, l'intolérance et les injustices. Et faire la fête, c'est une bonne façon de montrer qu'on peut vivre ensemble, quelles que soient nos origines et notre couleur de peau. La fête de Tissé Métissé existe depuis 1993. En une seule journée, elle réunit environ 6 000 personnes chaque année. Des concerts d'artistes engagés, des ateliers créatifs, des jeux et un bon repas font le succès de ce rendez-vous multiculturel et chaleureux.

LA FÊTE DES SOLIDARITÉS

C'est à Namur, en Belgique, qu'a lieu la Fête des Solidarités depuis 2013. Organisé par la Mutualité Solidaris, ce festival dure deux jours. Il propose des débats sur le commerce, les banques et la globalisation financière. Il encourage l'entraide entre citoyens dans une Europe marquée par la crise. Plus de 20 000 personnes viennent chaque année assister aux concerts de hip-hop, rock et world music.

ET FESTIVALS MILITANTS

SOLIDAYS

Chaque année depuis 1999, le festival Soidays se déroule à Longchamps, près de Paris. Il est organisé par Solidarité Sida, qui soutient les malades du sida, en France et dans le monde. Cette association fait aussi des campagnes pour inciter les jeunes à se protéger. Plus de 150 000 personnes viennent assister aux concerts d'artistes ou de groupes célèbres qui se succèdent pendant trois jours. C'est un des plus importants festivals musicaux de France.

Est-ce que des fêtes solidaires sont organisées dans ton pays ? Fais des recherches sur Internet et présente-les à tes camarades.

À chacun sa fête

1. Parmi ces 3 fêtes...

a. Quelle est la plus ancienne ?

b. Laquelle est organisée en Belgique ?

c. Laquelle rassemble le plus grand nombre de personnes ?

À chaque fête, sa cause

2. Retrouve la fête qui correspond à chacun de ces domaines d'action :

a. le mélange des cultures

b. la santé

c. la situation économique

Notre projet final

Lancer une initiative collective

1. La cause

- ▶ En groupes, nous parlons des problèmes que nous aimerions résoudre, dans la classe ou à l'extérieur.
- ▶ Nous choisissons le problème auquel nous allons nous attaquer.

2. Les moyens

- ▶ Nous faisons la liste des moyens possibles pour lutter contre ce problème : de le diminuer par de la prévention, ou de le résoudre en trouvant des solutions.
- ▶ Nous choisissons les deux ou trois moyens qui nous paraissent les plus réalisables et les mieux adaptés à ce problème.

3. Les actions

- ▶ Nous choisissons un moment pour mettre en œuvre nos actions.
- ▶ Nous nous répartissons les rôles afin que tout le monde participe.
- ▶ Nous prévoyons la ou les façons de faire connaître notre action.

ET MAINTENANT...
Évaluez les résultats de votre initiative. A-t-elle aidé à résoudre le problème ou une partie du problème ?

Astuce +
- Choisissez des problèmes simples, que vous pouvez résoudre avec vos moyens.
- Faites participer d'autres classes ou des amis : l'union fait la force !

Conseils pratiques
Utilisez Internet pour chercher des idées d'actions, mais aussi pour diffuser des informations et faire connaître votre action en dehors de la classe.

LE RELAIS SOLIDAIRE

20'

But du jeu

Deviner des mots en équipe et le plus vite possible.

Déroulement

1. Répartissez-vous en groupes de trois à quatre personnes.

2. L'enseignant a élaboré autant de listes de 10 mots qu'il y a de groupes. Les listes seront composées des mêmes mots (tirés du lexique de l'unité 5) mais placés dans un ordre différent dans chaque liste.

3. Un envoyé de chaque équipe vient voir l'enseignant pour recevoir le premier mot de la liste de son groupe.

4. Il retourne ensuite dans son groupe pour faire deviner le mot en utilisant tous les moyens possibles, sans prononcer le mot en question. Vous pourrez recourir au mime, au dessin, aux mots associés, etc.

5. La personne du groupe qui devine le mot devient l'envoyé. Il rapporte le mot deviné à l'enseignant et repart avec le deuxième mot de la liste.

6. La première équipe qui devine tous les mots de sa liste a gagné.

Matériel

- Listes de 10 mots (identiques mais placés dans des ordres différents) préalablement préparées par l'enseignant

Outils linguistiques

- Lexique de l'engagement et des actions collectives

Unités 4 & 5

Test

Teste tes connaissances !

Lis les phrases et choisis la bonne réponse. Puis compare avec un camarade.

1 Les chaises sont ... de la table.
a. entre
b. tout autour
c. ici et là

2 Ça se voit comme le nez ... de la figure.
a. au milieu
b. à travers
c. au fond

3 Elle porte des chaussures ...
a. de soleil
b. à talons
c. à manches courtes

4 C'est un tee-shirt ... coton.
a. en
b. à
c. de

5 Le film est fini ; je ... le terminer.
a. viens de
b. suis en train de
c. suis sur le point de

6 Il s'est endormi ... la télé.
a. regardant
b. regardait
c. en regardant

7 Il y a de ... de bruit, je n'entends pas les dialogues.
a. plus en plus
b. plus ou moins
c. moins en moins

8 On a eu des places de cinéma et c'est ... toi.
a. à cause de
b. grâce à
c. parce que

9 ... de la pluie, on n'a pas pu faire le tournage.
a. Vu que
b. Comme
c. À cause

10 Tu es capable de rester dix minutes sans...
a. bouger
b. bougeait
c. bougé

11 Elle marche ... , sans se presser.
a. rapidement
b. glissement
c. lentement

12 50 % des Canadiens ont fait du bénévolat, ce qui représente...
a. un Canadien sur trois.
b. deux Canadiens sur cinq.
c. un Canadien sur deux.

13 Un jeune sur trois en Europe, soit ... , a été victime de harcèlement sur Internet.
a. un tiers
b. un quart
c. la moitié

14 Ça ne peut plus durer ! Il faut qu'on ... quelque chose.
a. faire
b. fasse
c. fait

15 L'électricité est coupée, ... on n'y voit plus rien.
a. c'est pour ça qu'
b. parce qu'
c. depuis qu'

16 Ils sont sans-abri ... ils passent l'hiver dehors.
a. comme
b. mais
c. donc

17 ... moi, si chacun participe, on peut rendre le monde meilleur.
a. Avant
b. Ensuite
c. D'après

18 Ils sont ... d'une association.
a. membres
b. abonnés
c. inscrits

19 Engage-toi ... rester là les bras croisés !
a. au milieu
b. au lieu de
c. le lieu

20 ... de lancer une pétition, on pourrait organiser une fête.
a. Pour que
b. Aussi bien que
c. Plutôt que

Note : ____ /20

Unité 6

Faites du bruit !

Notre projet final

Organiser un marché aux chansons

Dans cette unité, nous allons...

• parler de nos pratiques culturelles

• argumenter et nuancer une opinion

• utiliser des images et des métaphores

• présenter et partager des chansons

La musique et moi

1 La musique dans ma vie

 A. Remplis ce test selon tes habitudes en matière de musique.

Quelle place occupe la musique dans ta vie ?

1. Quand écoutes-tu de la musique ?
- ◼ tout le temps.
- ◕ souvent.
- ● de temps en temps.

2. Où écoutes-tu de la musique ?
- ◼ partout.
- ◕ dans le bus ou le métro.
- ● chez les autres.

3. Dans un concert...
- ◼ tu te mets toujours devant la scène pour bien voir les musiciens.
- ◕ tu discutes dans le fond de la salle.
- ● tu attends la fin du concert dehors.

4. Quand tu achètes un album...
- ◼ c'est merveilleux.
- ◕ ça fait plaisir.
- ● c'est pour offrir.

5. Sur une île déserte, tu emmènerais...
- ◼ toute ta collection de mp3.
- ◕ les dix albums que tu préfères.
- ● des séries télévisées.

6. Quand tu regardes une vidéo, c'est...
- ◼ un documentaire musical.
- ◕ un clip qu'on t'a conseillé.
- ● un film policier.

7. La musique c'est...
- ◼ indispensable.
- ◕ un bon sujet de conversation.
- ● un bruit de fond.

8. La musique,
- ◼ tu ne peux pas t'en passer.
- ◕ tu peux vivre sans, mais tu préfères vivre avec.
- ● tu t'en passes très bien.

● Si tu as plus de
La musique n'occupe pas une place très importante dans ta vie. Il y a d'autres arts et d'autres loisirs qui t'intéressent plus.

◕ Si tu as plus de
Tu aimes écouter de la musique. Elle te rend la vie plus belle, plus agréable. Mais tu n'en as pas tout le temps besoin.

◼ Si tu as plus de
La musique, c'est ta passion. Tu ne peux pas vivre sans en écouter.

 B. Écoute les témoignages de ces trois jeunes qui parlent de la place que la musique occupe dans leur vie. À quel profil du test ressemblent-ils ?

Piste 16

Laura

Yanis

Louise

C. Et toi, de quel témoignage te sens-tu le plus proche ? Parlez-en à deux.

D. Écris un court texte sur l'importance de la musique ou d'un autre art que tu aimes dans ta vie.

J'adore la bande dessinée. J'en lis tous les jours. Je ne peux pas vivre sans lire des BD. C'est ma passion !

2 Qui joue de quoi ?

 A. Les groupes de musique réunissent, en général, des personnes qui jouent d'instruments différents. Retrouve le nom de chaque musicien de ce groupe.

guitariste	violoniste	pianiste

chanteur chanteuse	batteur batteuse

 B. De quel instrument joue chaque musicien ? Tu connais d'autres noms de musiciens et d'instruments ?

Le guitariste joue de la...

La violoniste joue du...

La pianiste joue du...

Le batteur joue de la...

Le bassiste joue de la...

La saxophoniste joue du...

L'accordéoniste joue de l'...

 C. Et toi, est-ce que tu joues d'un instrument de musique ou est-ce que tu aimerais jouer d'un instrument ? Si oui, lequel ? Discutez-en en groupes.

- • *Je joue du saxophone. Je prends des cours tous les mercredis.*
- ○ *Moi, j'aimerais jouer du piano, parce que je trouve que le son du piano est très joli.*

Nos outils

Adverbes d'intensité

- – *J'ai **tellement** de mal à me concentrer **que** je ne peux faire qu'une seule chose à la fois.*
- – *La musique, c'est **si** important pour moi **que** je ne peux pas vivre sans.*

Se passer de

- – *Tu ne peux pas **te passer de** musique.*
- – *Je peux **me passer de** musique.*
- – *Tu **t'en passes** très bien.*

Vivre sans et vivre avec

- – *Tu ne peux pas **vivre sans**.*
- – *Je peux **vivre sans** musique, mais je préfère **vivre avec**.*

+ d'activités ▶ p. 86-87

LE SAIS-TU ?

Un tiers des Français et presque la moitié des Suisses écoutent de la musique tous les jours. 10 % des Belges et un quart des Québécois jouent de la musique durant leur temps libre.

Sources : OPC 2006, OFS & PCF 2008, PCQ 2009.

Chacun ses goûts

1 Chronique et commentaires

 A. Voici une chronique musicale et les commentaires postés par des internautes. Connais-tu cet artiste ?

---

http://www.lazik.aplus   RSS   Q·

LAZIK   NEWS   CHRONIQUES   GALERIE   AGENDA   FORUM   CONTACT

Posté le 20/08/2013 par Sol

UN ALBUM CARRÉ

Après l'immense succès de son premier album, *Cheese*, le deuxième album (très attendu) de Stromae est sorti hier. Intitulé *Racine carrée*, il est marqué par un mélange de hip-hop, de chanson française et de musiques électroniques. Un cocktail qui a rendu le jeune chanteur belge célèbre dans le monde entier. Des sujets graves ou tristes sont évoqués dans les 13 titres de cet album, mais toujours sur des mélodies joyeuses et des rythmes dansants. C'est un album carré, parfait : chaque détail des arrangements a été choisi avec soin. Les paroles, efficaces et poétiques, nous font hésiter entre le rire et les larmes. Résultat : un album magnifique qui fait le buzz dès sa sortie. La chanson « Papaoutai » est déjà le tube de l'année.

Stromae - *Racine carrée* - Mercury Records - 2013

3 commentaires :

electrophil

C'est une bombe, cet album ! Les morceaux sont super festifs et les textes sont impeccables. Quel talent ! Bravo Maestro !

samipop

Je trouve cet album trop répétitif. C'est un peu tout le temps la même chose. Et puis, ce mélange de hip-hop et de dance, ce n'est pas mon genre de musique.

cloérock

D'habitude je ne suis pas fan de rap ni d'électro, mais là, j'avoue que j'ai accroché tout de suite. C'est vraiment un bon album pour danser ou pour écouter dans le métro.

 B. Lisez cette chronique puis répondez aux questions.

1. Sur quel album de Stromae porte cette chronique ?
2. La critique est-elle plutôt positive ou plutôt négative ?
3. Classez les commentaires des internautes du plus positif au plus négatif.

 C. Parmi les éléments ci-dessous, lesquels sont évoqués dans la critique ?

les paroles   les instruments

les mélodies

les rythmes   la façon de chanter

 D. Est-ce que vous connaissez des artistes francophones ? En groupes, échangez les noms d'artistes, d'albums ou de chansons en français que vous connaissez et dites ce que vous en pensez.

Voc +

La musique
- un album = un disque
- lancer un album = sortir un disque
- un morceau (avec ou sans paroles) / une chanson (avec paroles) = une toune (Québec)
- le texte / les paroles de la chanson
- une chanson qui a du succès = un tube

2 Tu écoutes quoi comme musique ?

A. Dans cette liste, quels sont les genres musicaux que tu connais ? Quels sont ceux qui ne sont pas dans la liste et que tu voudrais ajouter ?

la chanson/la variété ☐
l'électro ☐
le hip-hop/le rap ☐
le jazz ☐
le métal ☐
les musiques traditionnelles ☐
la pop ☐

le R&B ☐
le raï ☐
le reggae ☐
le rock ☐
la salsa ☐
le zouk ☐
le slam ☐

Piste 17

B. Écoute Lydia et Ben parler de leurs genres musicaux préférés. Ensuite, réponds par *Vrai* ou *Faux*.

Ben n'a pas de genre musical préféré.	V	F
Ben préfère les chansons sérieuses, mais il écoute quand même des morceaux juste pour danser.	V	F
Même si elle préfère le rock, Lydia écoute aussi du rap.	V	F
Lydia écoute de la fusion : mélange de rock et de jazz.	V	F

C. De nombreux genres musicaux sont des mélanges de plusieurs genres. Par exemple, le ragga est né de la fusion du reggae et du rap. À deux, faites deux propositions de fusions et décrivez-les en quelques mots.

Le slamtal est un mélange de slam et de métal. C'est un genre un peu bizarre. Même si les paroles sont très poétiques, on ne les entend pas parce que les guitares jouent très fort.

Nos outils

Les nombres ordinaux

1er/ère	premier/première
2e	deuxième
3e	troisième
4e	quatrième
5e	cinquième
6e	sixième
7e	septième
8e	huitième
9e	neuvième
10e	dixième

La voix passive

– Cet album **est marqué par** un mélange de hip-hop, de chanson française et de musiques électroniques.

– Des sujets graves ou tristes **sont évoqués** dans les 13 titres.

– Chaque détail des arrangements **a été choisi** avec soin.

La concession

• **Même si**
– **Même si** elle préfère le rock, Lydia écoute aussi du rap.

• **Quand même**
– Il préfère les chansons sérieuses, mais il écoute **quand même** des morceaux juste pour danser.

+ d'activités ▶ p. 86-87

Tout finit par des chansons

1 « Debout »

 A. Voici les paroles de « Debout », un morceau de *22h22*, le cinquième album de la chanteuse québécoise Ariane Moffatt. À ton avis, de quoi parle cette chanson ?

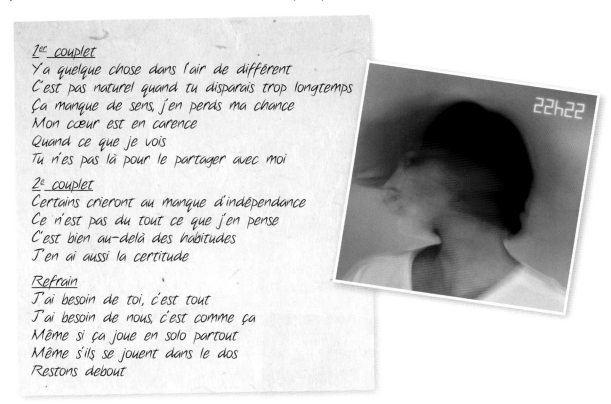

1er couplet
Y a quelque chose dans l'air de différent
C'est pas naturel quand tu disparais trop longtemps
Ça manque de sens, j'en perds ma chance
Mon cœur est en carence
Quand ce que je vois
Tu n'es pas là pour le partager avec moi

2e couplet
Certains crieront au manque d'indépendance
Ce n'est pas du tout ce que j'en pense
C'est bien au-delà des habitudes
J'en ai aussi la certitude

Refrain
J'ai besoin de toi, c'est tout
J'ai besoin de nous, c'est comme ça
Même si ça joue en solo partout
Même s'ils se jouent dans le dos
Restons debout

 B. Ces paroles contiennent des images, des métaphores pour parler d'émotions ou d'actions. Retrouve la signification de chacune de ces images dans cette chanson-là.

– *Mon cœur est en carence*

| mon coeur bat très vite | tu me manques |

– *C'est bien au-delà des habitudes*

| c'est une bonne habitude | c'est plus qu'une habitude |

– *ça joue en solo partout*

| les gens sont égoïstes | les gens jouent de la musique |

– *ils se jouent dans le dos*

| ils se font du mal en cachette | ils jouent ensemble |

 C. D'après toi, la personne qui parle dans cette chanson est-elle sûre de ses sentiments ? Trouve les passages du texte qui donnent cette impression.

 D. Dans cette chanson, l'expression « Restons debout » peut avoir plusieurs interprétations. Qu'est-ce qu'elle veut dire, d'après toi ? Discutez-en à deux, en vous aidant des propositions ci-dessous.

| restons ensemble | restons unis |

| restons forts | restons amis |

2 L'effet que ça me fait

A. En groupes, cherchez une chanson en français sur Internet. Après avoir écouté la chanson, chacun note ses impressions en s'aidant de la fiche ci-dessous.

> **TITRE DE LA CHANSON :**
>
> C'est une chanson...
> – gaie, drôle, marrante, qui met de bonne humeur
> – rythmée, entrainante, qui donne envie de danser
> – triste, nostalgique, qui fait pleurer
> – engagée, grave, qui parle de problèmes sociaux
> – calme, relaxante, qui aide à s'endormir
> – belle, émouvante, qui donne des frissons
> – monotone, énervante, qu'on préfère oublier
> – banale, sans intérêt, qui n'est pas originale
> – ...

B. Maintenant, associe les expressions utilisées pour parler de chansons à leur signification.

on l'a dans la tête	une chanson dont on a retenu les paroles de mémoire
on l'écoute en boucle	une chanson dont on ne peut pas se débarrasser, même si on ne l'aime pas
on la connait par cœur	une chanson qu'on a tout le temps envie d'écouter parce qu'on l'adore

C. Et toi, est-ce que ça t'arrive souvent, ou est-ce que ça t'est arrivé récemment...

- d'avoir une chanson dans la tête ?
- d'écouter une chanson en boucle ?
- de connaître une chanson par cœur ?

D. En groupes, choisissez deux expressions imagées en français que vous connaissez ou en vous aidant de la liste ci-dessous. Puis, chacun écrit un couplet de chanson en intégrant ces expressions. Comparez les paroles que vous avez écrites.

avoir des étoiles plein les yeux	passer une nuit blanche	être le sel de la vie	faire son cinéma

Nos outils

Le relatif *dont*

- C'est une chanson **dont** j'ai retenu les paroles.
- C'est une chanson **dont** j'ai oublié le titre.
- C'est une chanson **dont** j'aime la mélodie.

Le doute et la certitude

- **Oui ?**
  - Je crois.
  - C'est possible.

- **Ni oui ni non**
  - Peut-être.
  - Je ne sais pas

- **Non ?**
  - Je n'en suis pas sûr(e).
  - Je ne crois pas.

- **Oui !**
  - J'en suis sûr(e).
  - J'en suis certain(e).
  - J'en ai la certitude.

- **Non !**
  - C'est impossible.
  - Pas du tout.

+ d'activités ▶ p. 86-87

Plus d'activités sur
espacevirtuel.emdl.fr

1 Les nombres ordinaux

On utilise les nombres ordinaux pour indiquer une suite ou une série de personnes, d'objets ou d'évènements.

1$^{er/ère}$	premier/première
2^e	deuxième
3^e	troisième
4^e	quatrième
5^e	cinquième
6^e	sixième
7^e	septième
8^e	huitième
9^e	neuvième
10^e	dixième

— *C'est le **premier** couplet de la chanson.*
— *C'est le **cinquième** album d'Ariane Moffatt.*

A. Dans les phrases suivantes, écris les nombres ordinaux en toutes lettres.

1. (1re) Elle a été la ... artiste à mélanger le rock et le slam.
2. (4e) Son dernier album n'est pas mal, mais je préférais le ...
3. (10e) C'est la ... fois qu'on écoute cette chanson ! Tu peux en mettre une autre ?
4. (30e) C'est bientôt le ... anniversaire du festival des FrancoFolies de Montréal.

2 *Si... que / Tellement... que*

On utilise **si... que** et **tellement... que** pour donner de l'intensité et expliquer un lien de cause à effet, expliquer une ou plusieurs conséquences.

Si... que et **tellement... que** ajoutent de l'intensité à un adjectif ou un adverbe. Mais ils ne sont pas toujours interchangeables.
Tellement... que peut aussi donner de l'intensité à un verbe, alors que **si... que** ne peut pas.

— *Ce groupe est **tellement** célèbre **qu'**il fait des concerts dans le monde entier.*
— *Ce groupe est **si** talentueux **qu'**il a obtenu trois Grammy Awards cette année.*

B. Réunis et transforme ces phrases en utilisant *si... que* et *tellement... que*.

1. Nous avons répété. Nous sommes prêts pour le spectacle.
2. Cette chanson est facile à retenir. Je l'ai tout le temps dans la tête.
3. J'ai joué de la guitare. J'ai mal aux doigts.
4. J'ai écouté cet album. J'en ai marre.
5. Ce solo de guitare est long. Il fait la moitié du morceau.

3 La concession

Même si et **quand même** permettent d'apporter une nuance, de corriger une affirmation ou d'indiquer une contradiction.

Même si est placé avant le verbe qu'il accompagne, alors que **quand même** est placé après le verbe qu'il accompagne.
Quand même est souvent utilisé avec **mais**.

— ***Même si** j'adore ce groupe, je n'ai pas tous ses albums.*
— *Le concert était nul, mais on est **quand même** restés jusqu'à la fin.*

C. Complète les phrases par *même si* ou *quand même*.

1. J'aime bien le rap, ... je préfère la pop.
2. Je n'aime pas le métal, mais j'en écoute ...
3. Ce n'est pas ma chanteuse préférée, mais je vais ... venir avec toi au concert.
4. ... j'ai fait des années de piano, je ne sais pas jouer un seul morceau.

4 La voix passive

À la voix passive, le sujet du verbe est différent de l'agent de l'action (ce/celui/celle/ceux qui fait/font l'action en question).

La voix passive se construit avec le verbe **être** suivi du participe passé. Ce participe passé s'accorde en genre et en nombre avec le sujet (**option 1**).

À la voix passive, l'agent de l'action n'est pas toujours précisé (**option 2**).

Voix active :
— *Beaucoup de gens apprécient la musique.*

Voix passive, option 1 :
— *La musique est appréciée par beaucoup de gens.*

Voix passive, option 2 :
— *La musique est très appréciée.*

D. Transforme ces phrases actives en phrases passives.
1. Les Jamaïcains ont inventé le reggae.
2. Stromae a écrit cette chanson.
3. 10 000 personnes ont acheté cet album.
4. Ariane Moffatt a repris la chanson « Vertige de l'amour » d'Alain Bashung.
5. Ils ont lancé ce disque en 2015.

5 Le relatif *dont*

On utilise le pronom relatif **dont** pour relier deux propositions ou deux phrases. Il remplace un nom ou un pronom introduit par **de**. Dans les phrases avec **dont**, l'ordre des éléments est inversé.

— *Le batteur **de** ce groupe est très connu.*
→ *C'est un groupe **dont** le batteur est très connu.*

— *J'ai oublié les paroles **de** cette chanson.*
→ *C'est une chanson **dont** j'ai oublié les paroles.*

E. Transforme les phrases suivantes avec *C'est* et *dont*.
1. Tu m'as parlé de cet album.
2. Je me souviendrai toujours de ce concert.
3. Je me sers de cet étui pour ranger mes disques.
4. C'est moi qui l'ai composé ! Je suis très fier de ce morceau.

Phonétique Les rimes

Piste 18

A. Écoute ces extraits de chansons et note les deux mots qui riment dans chacune.

1	2	3
-	-	-
-	-	-

B. À deux, cherchez des mots que vous connaissez en français et qui riment avec ces mots-là.

MAG.COM

EN AVANT LA MUSIQUE !

Les jeunes (et les moins jeunes) aiment la musique *live* et vont à des concerts. Mais, depuis un siècle et demi, des machines permettent d'écouter de la musique enregistrée. Ces appareils n'ont cessé de changer avec l'invention de nouvelles techniques. Et ce n'est pas fini...

1920

La platine tourne-disque est apparue dans les années 1920. C'est la version électronique du phonographe. La musique, gravée sur les disques vinyles, est lue par une aiguille — aussi appelée diamant ou saphir. Les platines et les vinyles prennent beaucoup de place, mais ils sont revenus à la mode car leur son est souvent de bonne qualité.

Comment les gens écoutent-ils de la musique dans ton pays ? Quels sont les supports les plus fréquents ? Fais des recherches sur Internet.

1877

Le phonographe, aussi appelé gramophone, a été inventé vers la fin du XIXᵉ siècle. Il fonctionnait avec une manivelle ou une clé qu'il fallait tourner pour écouter les disques. C'était la première fois qu'on pouvait écouter de la musique enregistrée. Une révolution !

1961

Le magnétophone à cassettes est né en 1961. Les cassettes contenaient deux bobines autour desquelles s'enroulait une bande magnétique. Grâce au magnétophone, on pouvait non seulement écouter, mais aussi enregistrer de la musique sur le même support. Et les baladeurs à cassettes ont été les premiers appareils permettant d'écouter de la musique n'importe où.

DU GRAMOPHONE
AU SMARTPHONE

1978

Le CD (de l'anglais compact disc ou disque compact) a été créé en 1978. C'était le premier support numérique pour écouter de la musique. Les CD sont fragiles et se rayent facilent. En revanche, un lecteur CD prend peu de place. Il peut se combiner avec une radio et un lecteur de cassettes, dans une petite chaîne hi-fi facile à transporter.

2008

Depuis quelques années, les smartphones sont utilisés comme baladeurs. Le son n'est pas toujours excellent. Mais ils permettent de chercher de la musique sur Internet, de partager des chansons et de les écouter sur un seul appareil.

2000

Les baladeurs numériques sont devenus très courants dans les années 2000. Les morceaux y sont souvent stockés au format MP3. Certains trouvent que les formats numériques n'offrent pas la meilleure qualité d'écoute. Leur grand avantage est de pouvoir contenir des centaines, et même des milliers de morceaux.

Avantages et inconvénients

Quels sont les bons et mauvais côtés de chaque support ? Retrouve-les dans les présentations pour les classer dans le tableau ci-dessous.

	les +	les -
le gramophone	...	...
la platine vinyle	...	...
le magnétophone	...	...
le lecteur CD	...	...
le baladeur numérique	...	...
le smartphone	...	...

Notre projet final

Organiser un marché aux chansons

Astuce +

Préparez bien les cartes de votre chanson, en ajoutant une image de l'album dont elle est tirée ou de l'artiste/du groupe qui l'interprète.

1. Le stock

- ▶ Chacun de nous apporte une chanson qu'il aime.
- ▶ Chacun prépare plusieurs cartes sur lesquelles il note les informations essentielles de cette chanson : titre, artiste, titre de l'album, la date. C'est son stock de chansons.

2. La vente

- ▶ À deux, nous nous présentons nos chansons respectives, en essayant de convaincre notre camarade de « l'acheter ».
- ▶ Pour « vendre » notre chanson, nous expliquons ce que nous aimons dans cette chanson, l'effet qu'elle nous fait, la fréquence à laquelle nous l'écoutons, etc.
- ▶ Quand une chanson est « vendue », le vendeur donne une carte à l'acheteur.

3. Le bilan

- ▶ Nous comptons combien de chansons ont été vendues et quelles sont celles qui ont eu le plus de succès.

Conseils pratiques

Préparez différents appareils pour pouvoir écouter les chansons dans la classe : chaînes, ordinateurs, portables, etc.

ET MAINTENANT...
Faites la playlist de la classe en réfléchissant au meilleur enchaînement des chansons.

ON CONNAÎT LA CHANSON

20'

Matériel
- *appareils pour écouter des chansons*

Outils linguistiques
- *le lexique de la musique*

But du jeu

Deviner le plus vite possible le titre ou l'interprète d'une chanson.

Déroulement

1. Préparez la playlist de la classe (au moins 10 chansons) et le matériel dont vous avez besoin pour les écouter.

2. Répartissez-vous en deux équipes.

3. L'enseignant joue le rôle du disc jockey (DJ), en diffusant les 30 premières secondes des chansons de la playlist dans le désordre.

4. À chaque extrait, vous et votre équipe devez deviner le plus vite possible de quelle chanson il s'agit.

5. L'enseignant compte les points. Si vous trouvez le titre ou l'interprète, vous marquez 1 point. Si vous trouvez le titre et l'interprète, vous marquez 2 points.

6. À la fin du jeu, l'équipe qui a le plus de points a gagné la partie.

Bilan

Vous savez déjà faire beaucoup de choses !

Vous allez faire le bilan de ce que vous avez appris dans les unités 5 et 6.
En groupes, complétez ces encadrés avec d'autres phrases.
Vous pouvez utiliser de grandes feuilles pour ensuite les coller sur les murs de la classe.

Présenter les causes et les conséquences d'un problème

— Ils n'ont pas d'eau potable, alors ils tombent malades.
— Il a des problèmes dans sa famille, donc il a besoin de soutien.

Donner notre avis

— C'est peut-être un problème très grave.
— Je suis sûr qu'on peut faire quelque chose.

Réagir et proposer des solutions

— Il faut qu'on fasse quelque chose ; ça ne peut pas continuer comme ça.
— Il faut qu'on fasse une pétition.

Parler de nos goûts culturels

— J'aime tellement la musique que j'en écoute tout le temps.
— J'adore lire des bandes dessinées ; je ne peux pas m'en passer.

Recommander un morceau de musique

— Cette chanson est tellement belle qu'elle donne des frissons.
— J'adore cette chanson ! Je l'écoute en boucle.

Précis grammatical

Précis grammatical

L'ALPHABET PHONÉTIQUE

Voyelles orales

[a]	Marie [maʀi]
[ɛ]	fait [fɛ] / frère [fʀɛʀ] / même [mɛm]
[e]	étudier [etydje] / les [le] / vous avez [vuzave]
[ə]	le [lə]
[i]	Paris [paʀi]
[y]	rue [ʀy]
[ɔ]	robe [ʀɔb]
[o]	mot [mo] / cadeau [kado] / jaune [ʒon]
[u]	bonjour [bõʒuʀ]
[ø]	jeudi [ʒødi]
[œ]	sœur [sœʀ] / peur [pœʀ]

Voyelles nasales

[ã]	dimanche [dimãʃ] / vent [vã]
[ɛ̃]	intéressant [ɛ̃teʀesã] / impossible [ɛ̃pɔsibl]
[õ]	mon [mõ]
[œ̃]	lundi [lœ̃di] / un [œ̃]

Semi-consonnes

[j]	chien [ʃjɛ̃]
[w]	pourquoi [puʀkwa]
[ɥ]	je suis [ʒəsɥi]

Consonnes

[b]	Bruxelles [bʀyksɛl] / abricot [abʀikɔ]
[p]	père [pɛʀ] / apprendre [apʀãdʀ]
[t]	tableau [tablo] / attendre [atãdʀ]
[d]	samedi [samdi] / addition [adisjõ]
[g]	gâteau [gato] / langue [lãg]
[k]	quel [kɛl] / crayon [kʀejõ] / accrocher [akʀɔʃe] / kilo [kilɔ]
[f]	fort [fɔʀ] / affiche [afiʃ] / photo [fɔto]
[v]	ville [vil] / avion [avjõ]
[s]	français [fʀãsɛ] / silence [silãs] / passer [pase] / attention [atãsjõ]
[z]	maison [mezõ] / zéro [zero]
[ʃ]	chat [ʃa]
[ʒ]	jupe [ʒyp] / géographie [ʒeɔgrafi]
[m]	maman [mamã] / grammaire [gramɛʀ]
[n]	bonne [bɔn] / neige [nɛʒ]
[ɲ]	Espagne [ɛspaɲ]
[l]	lune [lyn] / intelligent [ɛ̃teliʒã]
[ʀ]	horrible [ɔʀibl] / mardi [maʀdi]

QUELQUES CONSEILS POUR PRONONCER LE FRANÇAIS

LES CONSONNES EN POSITION FINALE

En général, on ne prononce pas les consonnes en fin de mot.

grand [gʀɑ̃]

petit [pəti]

ils aiment [ilzɛm]

LE « e » EN POSITION FINALE

En général, on ne prononce pas le **e** en fin de syllabe ou en fin de mot.

– *Nous appelons le docteur.* [nuzaplɔ̃lədɔktœʀ]

– *la table* [latabl]

Le **e** final permet de prononcer la consonne qui le précède.

—*grand* [gʀɑ̃] / *grande* [gʀɑ̃d]

LES VOYELLES NASALES

Pour prononcer les voyelles nasales, on doit faire passer l'air par le nez ! Comme pour imiter une personne enrhumée.

– *jardin* [ʒaʀdɛ̃] / *maison* [mezɔ̃] / *grand* [gʀɑ̃]

LE [y]

– *Tu es italien ?* [tyɛitaljɛ̃]

– *du chocolat* [dyʃɔkɔla]

L'ACCENT TONIQUE

En français, l'accent tonique est toujours placé à la fin du mot ou du groupe de mots.

Elle habite à Pa**ris**.

Nous allons au ciné**ma**.

Sa mère est colom**bienne**.

LA LIAISON

Quand un mot commence par une voyelle et que le mot précédent finit par une consonne, on doit très souvent unir les deux. On dit qu'on « fait la liaison ».

Les élèves

Ils ont

Nous allons manger.

❗ Dans certains cas, le **h** empêche la liaison.

– *Les héros des films gagnent toujours.*

❗ Après **et**, on ne fait jamais de liaison.

– *Marie et Amélie vont au cinéma.*

LE MARIAGE DE VOYELLES

Certaines voyelles forment des sons différents quand elles sont ensemble.

ai	=	[e]	ma**i**son [mezɔ̃]
ai, ei	=	[ɛ]	l**ai**t [lɛ], n**ei**ge [nɛʒ]
au, eau	=	[o]	s**au**t [so], **eau** [o]
ou	=	[u]	j**ou**r [ʒur]
oi	=	[wa]	s**oi**r [swar]

LES ACCENTS

En français, on peut trouver deux ou trois accents sur un seul mot.

– *t**é**l**é**phone* [telefɔn] / *pr**é**f**é**r**é**e* [pʀefeʀe] / ***é**l**è**ve* [elɛv]

L'ACCENT AIGU (´)

Il se place seulement sur le **e**.

Dans ce cas, il faut le prononcer [e].

– *caf**é*** [kafe] / *mus**é**e* [myze] / *po**é**sie* [poezi]

– *math**é**matiques* [matematik]

L'ACCENT GRAVE (`)

Il se place sur le **e**, le **a** et le **u**.

Sur le **a** et sur le **u**, il sert à distinguer un mot d'un autre :

• **a** (verbe *avoir*) / **à** (préposition)

– *Il **a** un chien. / Il habite **à** Toulouse.*

• **la** (article défini) / **là** (adverbe de lieu)

– ***La** sœur de Cédric / Mets-le **là**.*

• **où** (pronom relatif et interrogatif) / **ou** (conjonction de coordination)

– *Tu habites **où** ? / Blanc **ou** noir ?*

Sur le **e**, il indique que cette voyelle est ouverte : [ɛ]

– *m**è**re* [mɛʀ] / *myst**è**re* [mistɛʀ]

L'ACCENT CIRCONFLEXE (^)

Il se place sur toutes les voyelles sauf le **y**. Comme l'accent grave, il sert à éviter la confusion entre certains mots :

sur (préposition) / **sûr** (adjectif)

– *Le livre est **sur** la table. / Tu es **sûr** qu'il vient ?*

Sur le **e**, il se prononce [ɛ] :

– *fen**ê**tre* [fənɛtʀ] / *t**ê**te* [tɛt]

LE TRÉMA (¨)

On trouve le tréma (¨) sur les voyelles **e** et **i** pour indiquer que la voyelle qui les précède doit être prononcée séparément :

– *cano**ë*** [kanɔe] / *égo**ï**ste* [egɔist]

LES NOMBRES

COMPTER DE 1 À 10 000

DE 0 À 60

0 **zéro**
1 **un**
2 **deux**
3 **trois**
4 **quatre**
5 **cinq**
6 **six**
7 **sept**
8 **huit**
9 **neuf**
10 **dix**
11 **onze**
12 **douze**
13 **treize**
14 **quatorze**
15 **quinze**
16 **seize**
17 **dix-sept**
18 **dix-huit**
19 **dix-neuf**
20 **vingt**
21 **vingt et un**
22 **vingt-deux**
23 **vingt-trois**
24 **vingt-quatre**
25 **vingt-cinq**
26 **vingt-six**
27 **vingt-sept**
28 **vingt-huit**
29 **vingt-neuf**
30 **trente**
40 **quarante**
50 **cinquante**
60 **soixante**

DE 70 À 99

70 **soixante-dix**
71 **soixante et onze**
72 **soixante-douze**
73 **soixante-treize**
74 **soixante-quatorze**
75 **soixante-quinze**
76 **soixante-seize**
77 **soixante-dix-sept**
78 **soixante-dix-huit**
79 **soixante-dix-neuf**
80 **quatre-vingts**
81 **quatre-vingt-un**
82 **quatre-vingt-deux**
83 **quatre-vingt-trois**
84 **quatre-vingt-quatre**
85 **quatre-vingt-cinq**
86 **quatre-vingt-six**
87 **quatre-vingt-sept**
88 **quatre-vingt-huit**
89 **quatre-vingt-neuf**

90 **quatre-vingt-dix**
91 **quatre-vingt-onze**
92 **quatre-vingt-douze**
93 **quatre-vingt-treize**
94 **quatre-vingt-quatorze**
95 **quatre-vingt-quinze**
96 **quatre-vingt-seize**
97 **quatre-vingt-dix-sept**
98 **quatre-vingt-dix-huit**
99 **quatre-vingt-dix-neuf**

100 **cent**
101 **cent** un

200 deux **cents**
201 deux **cent** un

En Belgique,
70 : **septante**
80 : **quatre-vingts**
90 : **nonante**

En Suisse,
70 : **septante**
80 : **huitante**
90 : **nonante**

> ! On écrit **cent** sans **s** sauf pour deux cents / trois cents / quatre cents / cinq cents / six cents / sept cents / huit cents / neuf cents

1000 **mille / un millier**

2000 deux **mille**
2001 deux **mille** un, etc.

10 000 dix **mille**

LES NOMBRES ORDINAUX

On utilise les nombres ordinaux pour indiquer une suite ou une série de personnes, d'objets ou d'évènements.

— *C'est le **premier** couplet de la chanson.*

— *C'est le **cinquième** album d'Ariane Moffatt.*

1$^{er/ère}$	premier/première
2^e	deuxième
3^e	troisième
4^e	quatrième
5^e	cinquième
6^e	sixième
7^e	septième
8^e	huitième
9^e	neuvième
10^e	dixième

LES ARTICLES ET LES ADJECTIFS POSSESSIFS

LES ARTICLES DÉFINIS

	masculin	féminin
singulier	**le** copain **l'**adolescent	**la** copine **l'**adolescente
pluriel	**les** copains **les** adolescents	**les** copines **les** adolescentes

Ils s'accordent en genre et en nombre avec le nom qui suit.

! Quand un mot commence par une voyelle ou un **h**, l'article défini singulier est toujours **l'**.

On utilise l'article défini pour désigner :

• une personne ou une chose déterminée.
– *La jupe de Marion*

• une personne ou une chose déjà connue.
– *Le professeur de physique*

• une chose unique.
– *La tour Eiffel*

• quelque chose en général.
– *Le sport*

• les noms de pays ou de régions.
– *La France*

• la date, le jour.
– *Le 11 avril / Le lundi*

LES ARTICLES INDÉFINIS

On utilise l'article indéfini pour parler d'une personne et d'un objet qu'on ne connaît pas encore. Il s'accorde en genre et en nombre avec le nom qui suit.

● *Tu as **une** robe pour la fête ?*
○ *Oui, j'ai **une** robe bleue.*

	masculin	féminin
singulier	**un** livre	**une** piscine
pluriel	**des** livres	**des** piscines

! On utilise aussi **un** et **une** pour compter.

● *Combien tu as de frères et sœurs ?*
○ *J'ai **un** frère et **une** sœur.*

LES ARTICLES CONTRACTÉS

Quand les prépositions **à** et **de** sont suivies des articles définis **le** et **les**, il faut faire la contraction.

• **à + le = au**
– *Elle joue **au** basket.*

• **à + les = aux**
– *Ils jouent **aux** cartes.*

• devant un nom féminin commençant par une consonne : **à la**
– *Nous jouons **à la** pétanque.*

• devant une voyelle ou un **h** muet : **à l'**
– *Tu joues **à l'**élastique.*

• **de + le = du**
– *Je fais **du** théâtre.*

• **de + les = des**
– *Je fais **des** activités extrascolaires.*

• devant un nom féminin commençant par une consonne : **de la**
– *Après les cours, je fais **de la** musique.*

• devant une voyelle ou un **h** muet : **de l'**
– *Je joue **de l'**accordéon.*

LES ARTICLES PARTITIFS

On utilise les articles partitifs pour indiquer une quantité non déterminée.

	masculin	féminin
singulier	**du** chocolat	**de la** farine
	de l'air	**de l'**eau
pluriel	**des** gâteaux	**des** oranges

● *Tu veux **du** chocolat pour le goûter ?*
○ *Non merci, je prends **de la** confiture.*

À la forme négative, **du, de la, de l', des → pas de/d'**

– *Pour le petit déjeuner, je mange **du** pain mais je ne mange **pas de** fruits.*
– *Je ne mets **pas d'**huile dans la salade de tomates.*

LES ADJECTIFS POSSESSIFS

On utilise les adjectifs possessifs pour indiquer l'appartenance. Ils s'accordent en genre et en nombre avec les choses qu'ils caractérisent.

● *À qui est le manteau ?*
○ *C'est **mon** manteau Madame !*

● *C'est qui ?*
○ *C'est **mon** frère.*

	singulier		pluriel
	masculin	**féminin***	**masculin et féminin**
UN POSSESSEUR — moi / toi / lui/elle / vous (politesse)	**mon** / **ton** / **son** ⎤ livre	**ma** / **ta** / **sa** ⎤ classe	**mes** / **tes** / **ses** ⎤ amis
PLUSIEURS POSSESSEURS — nous / vous / eux/elles	**notre** / **votre** / **leur** ⎤ ami		**nos** / **vos** / **leurs** ⎤ cours

❗ *Devant un nom féminin qui commence par une voyelle, on utilise les adjectifs possessifs du masculin : **mon**/**ton**/**son**.

– **Mon/ton/son** amie s'appelle Julie.

LE NOM COMMUN

LE GENRE DES NOMS

Le nom est masculin ou féminin, il n'y a pas de neutre.
Le genre des noms est arbitraire, il n'y a pas de règle.

– **Le** collège / **La** cour de récréation /
Un chapeau / **Une** robe

LE PLURIEL DES NOMS

En général, le **s** est la marque du pluriel des noms.

singulier	pluriel
un cahier	des cahier**s**
une robe	des robe**s**
le livre	les livre**s**
la classe	les classe**s**
l'école	les école**s**

Parfois, au pluriel, on remplace **s** par **x**.

singulier	pluriel
un tableau	des tableau**x**
un animal	des animau**x**

❗ Certains pluriels présentent une particularité de prononciation ou d'orthographe.

– un œuf [œf] - des œufs [ø]

– un œil [œj]- des yeux [jø]

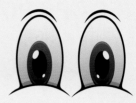

LES ADJECTIFS

LES ADJECTIFS DE COULEUR

Les adjectifs de couleur s'accordent en genre et en nombre avec le nom qu'ils qualifient.

● Comment elle est ta jupe ?
○ Elle est **bleue**.

	singulier	pluriel
masculin	■ vert / ■ noir / ■ bleu / ☐ blanc / ■ violet	■ vert**s** / ■ noir**s** / ■ bleu**s** / ☐ blanc**s** / ■ violet**s**
féminin	■ vert**e** / ■ noir**e** / ■ bleu**e** / ☐ blan**che** / ■ violet**te**	■ vert**es** / ■ noir**es** / ■ bleu**es** / ☐ blan**ches** / ■ violet**tes**
masculin = féminin	jaune / rose / beige	jaune**s** / rose**s** / beige**s**
invariable	■ orange / ■ marron	

LES ADJECTIFS QUALIFICATIFS

On utilise les adjectifs qualificatifs pour donner des informations sur les caractéristiques physiques ou morales d'une personne.
Ils s'accordent en genre et en nombre avec le nom qu'ils qualifient.

● Comment il est, le nouveau ?
○ Il est assez **sympatique**.

	masculin	féminin
singulier	grand petit bavard généreu**x** sporti**f** sympathiqu**e**	grand**e** petit**e** bavard**e** généreu**se** sporti**ve** sympathiqu**e**
pluriel	grand**s** petit**s** bavard**s** généreu**x** sporti**fs** sympathiqu**es**	grand**es** petit**es** bavard**es** généreu**ses** sporti**ves** sympathiqu**es**

LA PLACE DES ADJECTIFS

Les adjectifs de couleur, de forme, d'état ou de nationalité se placent derrière le nom.

—*J'ai acheté des roses **rouges** pour son anniversaire.*

Les adjectifs suivants se placent devant le nom : **vrai, faux, beau, petit, grand, gros, bon, jeune, joli, long, mauvais, vieux**

—*C'est un très **bon** ami à moi.*

De nombreux adjectifs d'appréciation peuvent se placer avant ou après le nom.

—*Ce sont de **formidables** voisins.*
—*Ce sont des voisins **formidables**.*

LES PRONOMS

LES PRONOMS PERSONNELS

sujets	compléments réfléchis	compléments d'object direct	toniques
Je	me/m'	me/m'	moi
Tu	te/t'	te/t'	toi
Il/Elle	se/s '	le/la/l '	lui/elle
Nous	nous	nous	nous
Vous	vous	vous	vous
Ils/Elles	se/s'	les	eux/elles

LES PRONOMS PERSONNELS SUJETS

singulier	pluriel
je	nous
tu	vous
il/elle	ils/elles

Les pronoms sujets sont obligatoires devant les verbes conjugués.

— ***Elles** sont françaises.*

Je devient **j'** devant une voyelle ou un **h** muet.

— ***J'**habite à Londres.*

Il y a deux types de **vous** :

• un **vous** pluriel.
— *Emma, Arthur ! **Vous** aimez le chocolat ?*

• un **vous** singulier (le **vous** de politesse).
— *Pardon, madame. **Vous** êtes française ?*
Tu ou **vous** ?

• On utilise :
tu → pour la famille, les amis proches, les enfants…
vous → pour quelqu'un d'inconnu ou de pas bien connu.

LE PRONOM *ON*

Selon les contextes, **on** a différentes significations. Quand la personne qui parle est incluse dans le **on**, il est synonyme de **nous**. À l'oral, **on** est plus fréquent que **nous**. Dans ce cas, le verbe s'accorde avec **on**, à la troisième personne du singulier, mais les participes et les adjectifs s'accordent au pluriel.

— *Emma et moi, **on** habite à Paris.*

— ***Nous nous sommes** baign**és** tout l'été.*

→ ***On s'**est baign**és** tout l'été.*

• on = tout le monde/les gens

On peut vouloir dire **tout le monde**, **quelqu'un**, **n'importe qui** quand la phrase est positive, ou **personne** quand la phrase est négative. La personne qui parle n'est pas toujours incluse dans le **on**.

— *Personne ne peut voyager sans passeport.*

→ ***On** ne peut pas voyager sans passeport.*

— *Beaucoup de gens disent que Venise est une très belle ville. Moi, je n'y suis jamais allée.*

→ ***On** dit que Venise est une très belle ville. Moi, je n'y suis jamais allée.*

Précis grammatical

LES PRONOMS TONIQUES

	pronoms sujets	pronoms toniques
singulier	Je	**Moi**, je…
	Tu	**Toi**, tu…
	Il/Elle	**Lui**, il… / **Elle**, elle…
pluriel	Nous	**Nous**, nous…
	Vous	**Vous**, vous…
	Ils/Elles	**Eux**, ils… / **Elles**, elles…

On utilise le pronom tonique pour :

• renforcer le sujet.
● **Moi**, je m'appelle Jacques. Et **toi** ? Tu t'appelles comment ?
○ **Moi**, je m'appelle Ronan et **elle**, elle s'appelle Sarah.

• se présenter ou identifier quelqu'un.
○ Bonjour, c'est **moi**, Emma.

! Le pronom tonique ne remplace pas le pronom sujet.
– **Lui**, il est allemand.

LES PRONOMS COD

Les pronoms COD remplacent une personne ou une chose que l'on connaît.

sujets	compléments d'objet direct
Je	**me/m'**
Tu	**te/t'**
Il/Elle	**le/la/l '**
Nous	**nous**
Vous	**vous**
Ils /Elles	**les**

• les pronoms **me**, **te**, **nous**, **vous** remplacent toujours des personnes.
– Tu **m'**aimes ?

• les pronoms **l'**, **le**, **la**, **les** peuvent remplacer des personnes ou des choses.
– Sophie, je **la** vois tous les jours au collège.
– Où sont **mes chaussures** ? Je ne **les** trouve pas.

! Le pronom COD est placé avant le verbe sauf à l'impératif affirmatif.
– Oh, regarde-**le**, c'est un très bon film !

LE PRONOM Y

On utilise le pronom **y** pour éviter la répétition d'un nom de lieu.
● Vous allez à _la piscine_ à quelle heure ?
○ On **y** va vers 15 h. Tu viens avec nous ?

LE PRONOM EN

On utilise le pronom **en** pour éviter les répétitions.

Il remplace un complément d'objet direct précédé d'un article partitif (du, de la, de l', de, d').
● Elle fait **de la danse** depuis longtemps ?
○ Oui, elle **en** fait depuis 2 ans.

Il remplace un complément d'objet direct précédé d'un article indéfini (un, une, des).
● Tu veux **un morceau de fromage** ?
○ Oui, j'**en** veux un.

LES PRONOMS RELATIFS

On utilise les pronoms relatifs pour ajouter des informations sur quelqu'un ou quelque chose. Ils servent à remplacer un nom et à relier deux phrases et éviter les répétitions.

• Le pronom relatif **qui** représente quelqu'un ou quelque chose. Il est toujours sujet du verbe.
– Le Louvre est un musée. **Il** se trouve à Paris.
→ Le Louvre est un musée **qui** se trouve à Paris.

• Le pronom relatif **que** remplace un nom qui est complément du verbe.
– Je regarde une série. J'aime bien cette série.
→ J'aime bien la série **que** je regarde
→ Je regarde une série **que** j'aime bien.

• Le pronom relatif **où** représente toujours quelque chose. Il peut s'agir :

▶ d'un lieu (c'est le cas le plus fréquent).
– Je suis né dans une ville. Elle est au nord de Paris.
→ La ville **où** je suis né est au nord de Paris.

▶ d'un moment.
– Ma sœur s'est mariée. Le jour de son mariage, il pleuvait.
→ Le jour **où** ma sœur s'est mariée, il pleuvait.

• Le pronom relatif **dont** remplace un nom ou un pronom introduit par **de**. Dans les phrases avec

dont, l'ordre des éléments est inversé.

— *Le batteur **de** ce groupe est très connu.*

→ *C'est un groupe **dont** le batteur est très connu.*

— *J'ai oublié les paroles **de** cette chanson.*

→ *C'est une chanson **dont** j'ai oublié les paroles.*

LE VERBE

LE PRÉSENT

On utilise le présent pour exprimer :

• une action qui se passe au moment où l'on parle.

● *Qu'est-ce que tu **fais**?*
○ *Je **regarde** une série.*

• une situation, un fait, un état ou une description.

— *Lise **est** une élève de ma classe.*

— *Il **est** timide.*

• une habitude, une généralité, une vérité.

— *La pomme de terre **est** un légume très consommé en France.*

❗ Le présent sert aussi à évoquer un futur très proche, en lien avec le moment présent.

— *J'arrive !*
— *Je pars en vacances demain.*
— *Les cours de karaté commencent mercredi.*

L'IMPÉRATIF

On utilise l'impératif pour ordonner ou pour interdire.

— ***Écoutez** vos camarades !*

→ *Vous **devez** écouter vos camarades !*

— ***Ne sors pas** le soir !*

→ ***Tu ne dois pas** sortir le soir !*

Impératif affirmatif	Impératif négatif
verse versons versez	ne verse pas ne versons pas ne versez pas
prends prenons prenez	ne prends pas ne prenons pas ne prenez pas
mets mettons mettez	ne mets pas ne mettons pas ne mettez pas

❗ À l'impératif, il n'y a pas de pronom sujet.
Le **s** de la 2ᵉ personne du singulier des verbes en -er disparaît. À la forme affirmative : *Lève-**toi**!*
À la forme négative : *Ne **te** lève pas !*

LE FUTUR PROCHE

On utilise le futur proche pour exprimer une action immédiate ou très proche dans le temps. Il se forme avec :

aller au présent + **infinitif**

● *Qu'est-ce qu'ils **vont faire** pendant les vacances ?*
○ *Ils **vont aller** à la mer.*

❗ À la forme négative :
ne + **aller** au présent + **pas** + verbe
— *Je **ne** vais **pas** faire de sport aujourd'hui.*

LE FUTUR SIMPLE

On emploie le futur pour parler de l'avenir, des situations ou événements futurs qui n'ont aucun rapport avec le présent.

— *Demain, **il pleuvra** sur la moitié nord du pays.*

Pour former le futur des verbes réguliers, on prend l'infinitif et on ajoute les terminaison suivantes :

infinitif : **partir**
je partir**ai** tu partir**as** il/elle/on partir**a** nous partir**ons** vous partir**ez** ils/elles partir**ont**

Les verbes en **-eter**, **-ever**, **-ener**, ou **-eser** redoublent la consonne ou prennent un accent grave devant le **e** muet : ***je me lèverai**, **je jetterai***... Les verbes terminés en **-re** perdent le **e** :

écrire → j'écrirai
comprendre → je comprendrai

Au futur simple, il n'y a pas de terminaison irrégulière. Par contre, certains verbes ont un radical différent. C'est le même radical pour toutes les personnes.

infinitif	futur simple
être	je serai
avoir	j'aurai
aller	j'irai
faire	je ferai
devoir	je devrai
envoyer	j'enverrai
pouvoir	je pourrai
savoir	je saurai
vouloir	je voudrai

! Le verbe impersonnel **falloir**, qui se conjugue seulement à la 3ᵉ personne du singulier, devient *Il faudra* au futur.

L'IMPARFAIT

On forme l'imparfait sur le radical de la 1ᵉʳᵉ personne du pluriel du présent à laquelle on ajoute les terminaisons suivantes :

1ᵉʳᵉ personne du pluriel au présent : **dans**ons
je dans**ais**
tu dans**ais**
il/elle/on dans**ait**
nous dans**ions**
vous dans**iez**
ils/elles dans**aient**

On emploie l'imparfait pour :

▸ parler d'une action habituelle dans le passé.

— *Avant, **j'allais** tous les samedis au skatepark.*

▸ décrire une personne, un endroit ou une chose dans le passé.

— *Il **était** très gentil mon ancien voisin.*

! Dans un récit au passé, on combine souvent l'imparfait et le passé composé.

— *Hier après-midi, comme il **faisait** très beau, ils **ont décidé** d'aller à la plage.*

LE PARTICIPE PASSÉ

Les verbes en **-er** forment leur participe passé en **-é**.

Pass**er**	→	pass**é**
Mang**er**	→	mang**é**
Visit**er**	→	visit**é**

Pour les autres verbes, la terminaison peut être :

▸ en **-i**

fin**ir**	→	fin**i**
dormir	→	dorm**i**

▸ en **-is**

écrire	→	écr**is**

▸ en **-ert**

offrir	→	off**ert**
ouvrir	→	ouv**ert**

▸ en **-u**

voir	→	v**u**
lire	→	l**u**

(voir tableau de conjugaison pour les autres participes passés)

! Il y a des verbes irréguliers :

Faire	→	**fait**
Voir	→	**vu**
Prendre	→	**pris**
Avoir	→	**eu**
Être	→	**été**

LE PASSÉ COMPOSÉ

On utilise le passé composé pour parler d'une action passée et limitée dans le temps ou pour parler d'une suite d'actions.
Il est composé de deux éléments :
un auxiliaire (**avoir** ou **être**) + le participe passé du verbe conjugué.

— *Hier, nous **avons visité** le musée du Louvre puis nous **sommes allés** dans un restaurant traditionnel.*

LE PASSÉ COMPOSÉ AVEC L'AUXILIAIRE *AVOIR*

La plupart des verbes se conjuguent avec l'auxiliaire **avoir** au présent + participe passé.

— *Nous **avons gagné** un voyage en Suisse.*

Quand le passé composé est formé avec **avoir**, le participe passé ne s'accorde pas, sauf s'il y a un objet et qu'il est situé avant le verbe.

— *J'**ai mangé** une glace et elle était très bonne.*
— *Elle était très bonne, la glace que j'**ai mangée**.*

LE PASSÉ COMPOSÉ AVEC L'AUXILIAIRE *ÊTRE*

Certains verbes se conjuguent avec l'auxiliaire **être** :

▸ les 15 verbes qui indiquent un changement de lieu ou d'état :

arriver/partir	passer
monter/descendre	retourner
aller/(re)venir	rester
tomber	naître/mourir
sortir/(r)entrer	apparaître

▸ **tous** les verbes pronominaux : *se lever, se coucher, s'habiller, se réveiller...*

Quand le passé composé est formé avec **être**, le participe passé s'accorde dans la plupart des cas avec le sujet.

— *Je **suis partie** en voyage.*
— *Vous **êtes** déjà **allés** en Guadeloupe ?*

Quand le passé composé est formé avec **être**, qu'il a un objet et que cet objet est situé avant le verbe ; le participe s'accorde aussi en genre et en nombre. Mais il ne s'accorde pas si l'objet est situé après le verbe.

— *Dans la boule à neige que je me **suis achetée**, il y a la tour Eiffel.*

— *Je me **suis acheté** une boule à neige avec la tour Eiffel dedans.*

! Attention à la place du pronom réfléchi ! À la forme négative, le **ne** se place immédiatement après le sujet.

— *Ils se sont couchés à 22 h.*

→ *Ils **ne** se sont pas couchés à 22 h.*

LE CONDITIONNEL

On utilise le conditionnel pour évoquer des possibilités. Il sert à exprimer des désirs, des souhaits, à donner des conseils ou à faire des reproches. Le conditionnel présent est formé à partir du radical du futur, auquel on ajoute les terminaisons de l'imparfait.

— ***J'aimerais** me faire de nouveaux amis.*

— ***Tu devrais** proposer à Manon de venir avec nous au cinéma.*

— ***Tu pourrais** être plus sympa avec ton frère.*

FUTUR	IMPARFAIT	CONDITIONNEL PRÉSENT
je **ser**ai	j'ét**ais**	je **serais**
tu **ser**as	tu ét**ais**	tu **serais**
il/elle/on **ser**a	il/elle/on ét**ait**	il/elle/on **serait**
nous **ser**ons	nous ét**ions**	nous **serions**
vous **ser**ez	vous ét**iez**	vous **seriez**
ils/elles **ser**ont	ils/elles ét**aient**	ils/elles **seraient**

LE GÉRONDIF

On utilise le gérondif pour expliquer, avec un verbe, la manière de réaliser une action, ou lorsque deux actions sont faites en même temps. Il se construit avec le participe présent.

— *À la fin de la scène, il le regarde **en souriant**.*

— *La réalisatrice dirige les acteurs **en** leur **expliquant** les émotions de leurs personnages.*

SANS + INFINITIF

Pour indiquer, au contraire, que deux actions ne vont pas ensemble, on utilise **sans** suivi d'un verbe à l'infinitif.

— *À la fin de la scène, il regarde son frère **sans sourire**.*

— *La réalisatrice dirige les acteurs **sans** leur **expliquer** les émotions de leurs personnages.*

LA NÉGATION

• La négation se construit avec :
sujet + **ne** + verbe + **pas**
Devant une voyelle, **ne** devient **n'**.

— *Je **ne** suis **pas** italien et je **n'**ai **pas** 16 ans.*

• La négation au passé composé :
ne + auxiliaire + **pas** + participe passé.

— *Il **n'**a **pas** mangé de viande le midi.*

— *Elle **n'**est **jamais** allée au Canada.*

LA VOIX PASSIVE

À la voix passive, le sujet du verbe est différent de l'agent de l'action (ce/celui/celle/ceux qui fait/font l'action en question).

La voix passive se construit avec le verbe **être** suivi du participe passé. Ce participe passé s'accorde en genre et en nombre avec le sujet (option 1).

À la voix passive, l'agent de l'action n'est pas toujours précisé (option 2).

• Voix active :
— *Beaucoup de gens apprécient la musique.*

• Voix passive, option 1 :
— *La musique **est appréciée par** beaucoup de gens.*

• Voix passive, option 2 :
— *La musique **est** très **appréciée**.*

LES ADVERBES

AUSSI ET NON PLUS

Placés après un nom ou un pronom tonique, ces adverbes indiquent une ressemblance de comportement ou un accord, une même opinion. Ils changent selon que la phrase de départ est positive ou négative.

• si la phrase initiale est affirmative, on ajoute **aussi** au nom ou pronom tonique.

● *J'aime la danse. Et toi ?*
○ *Oui, **moi aussi**, j'adore ça.*
○ *Moi non !*

• si la phrase initiale est négative, on ajoute **non plus** au nom ou pronom tonique.

● *Charlène ne mange pas de poisson.*
○ *Hugo **non plus**.*

LES ADVERBES EN *-MENT*

De nombreux adverbes sont formés à partir d'un adjectif, au masculin ou au féminin, auquel on ajoute le suffixe **-ment**.

Doux (masc.), douce (fém.) → douce**ment**

— *Ils parlent **doucement**, mais on entend bien le dialogue.*

Rapide (masc.), rapide (fém.) → rapide**ment**

— *On est entrés **rapidement** dans le cinéma.*

Vrai (masc.), vraie (fém.) → vrai**ment**

— *On va **vraiment** réaliser un court-métrage.*

❗ Si l'adjectif initial se termine par **-ent**, l'adverbe se termine par **-emment**. Si l'adjectif finit par **-ant**, l'adverbe finit par **-amment**.

— *Elle joue **différemment** depuis qu'elle a pris des cours de théâtre.*

LES ADVERBES D'INTENSITÉ

On utilise les adverbes d'intensité pour ajouter des informations à un adjectif. Ils se placent avant l'adjectif et sont invariables.

+ *Elle est **super** sympa !*
*Il est **tellement** gentil !*
*Ils sont **vraiment** adorables !*
*Elle est **très** polie.*
*Ils sont **plutôt** bavards.*
*Elle n'est **pas très** courageuse.*
*Il est **un peu** naïf.*
− *Il n'est **pas du tout** patient !*

LES ADVERBES DE MANIÈRE

Pour indiquer la manière de faire une action ou pour introduire une opinion, on utilise des adverbes. La plupart des adverbes en **-ment** sont aidèt à exprimer la manière de faire quelque chose. Quelques adverbes de manière fréquents :

* **bien ≠ mal**
* **vite/rapidement ≠ lentement/doucement**
* **pas du tout → un peu → à moitié → presque → tout à fait/complètement**

LA FRÉQUENCE

On utilise les adverbes de fréquence pour indiquer le rythme d'une action répétée ou d'une habitude.

+ **Toujours/Tout le temps**
Souvent
Quelquefois/De temps en temps/Parfois
Rarement
− **Jamais**

— *Je bois **toujours** du jus d'orange le matin.*
— *Elles ne viennent **jamais** aux cours de danse.*

LES ADVERBES DE QUANTITÉ

On utilise les adverbes de quantité pour informer sur la quantité des choses. Les adverbes se placent généralement après le verbe.

* **Trop de** + nom (sans article)
— *Elle a mangé **trop de** chocolat*
* **Beaucoup de** + nom (sans article)
— *Il y a **beaucoup de** sucre dans ce gâteau.*
* **Assez de** + nom (sans article)
— *Il y a **assez d'**eau pour tout le monde.*
* **Autant de** + nom (sans article)
— *Il y a **autant de** fruits que de légumes.*
* **Un peu de** + nom (sans article) → en petite quantité + valeur positive
— *Elle boit très peu de boissons sucrées, de temps en temps, elle boit **un peu de** coca.*
* **Peu de...** ou **ne... pas beaucoup de...** + nom (sans article)
— *Je mange **peu de** viande.*
→ *Je **ne** mange **pas beaucoup de** viande.*
* **Pas du tout de** + nom (sans article)
— *Il ne boit **pas du tout** de lait.*

SITUER DANS L'ESPACE
DIRE OÙ ON EST ET OÙ ON VA

Pour évoquer un lieu où on est ou un lieu où on va, on utilise les prépositions **à**, **en**, **au** ou **aux**. Ces prépositions changent en fonction du genre, du nombre et du statut du lieu qui les suit.

▸ Devant un nom de ville, on utilise **à**.
— *Je rêve d'aller **à** Montréal.*

❗ Quelques noms de villes commencent par **le** ou **la**. Quand ils commencent par **la**, la préposition reste **à**. Mais quand ils commencent par **le**, la préposition devient ***au***.

— *Avant j'allais en vacances **à** La Rochelle et maintenant je les passe **au** Cap Ferret.*

▶ Devant un nom de pays féminin ou de continent, on utilise **en**.

— *J'ai passé mes vacances **en** France.*

— *Il est retourné **en** Asie.*

▶ Devant un nom masculin qui commence par une voyelle, on utilise aussi en.

— *J'aimerais aller **en** Irak un jour.*

▶ Devant un nom de pays masculin qui commence par une consonne, on utilise **au**.

— *Vous êtes déjà allés **au** Canada?*

▶ Devant un nom de pays au pluriel, on utilise **aux**.

— *J'ai passé une semaine **aux** Antilles.*

INDIQUER COMMENT ON Y VA

en bus   en métro

en voiture   en train

en avion   en bateau

en skate   à moto

à vélo   à pied

— *À New York, beaucoup de gens vont travailler **en métro**.*

— *À Venise, les gens vont travailler **en bateau**.*

SITUER QUELQU'UN / QUELQUE CHOSE

On utilise des prépositions pour situer un élément dans l'espace ou par rapport à un autre élément.

● *Vous avez vu mon chargeur de portable? J'ai cherché **partout** et je ne le trouve **nulle part**.*

○ *Tu as regardé **dans** ton sac?*

○ *Il est sûrement **à gauche de** la télé.*

○ *Il n'est pas **à droite de** l'ordinateur?*

○ *J'en ai vu un **près du** cadre qui est **contre** le mur.*

○ *Il est **à côté de** la prise qui est **en face** du canapé.*

○ *Il est peut-être **sur** la table.*

○ *Il a dû glisser **sous** ton lit.*

○ *Il doit être **par terre** dans un coin du salon.*

○ *Il peut être **n'importe où**. Tu es si désordonné!*

○ *Il est forcément **dehors**, parce que **dedans**, je n'ai pas vu un seul chargeur.*

○ *Il a dû tomber **derrière** le meuble de ta chambre.*

○ *Il est juste **devant** toi.*

POUR DÉCRIRE DES OBJETS

On utilise les prépositions **à**, **en** et **de** pour préciser les caractéristiques, la matière ou la fonction d'un objet.

Pour indiquer une caractéristique, on utilise souvent **à** (parfois **de**).

— *Il porte une chemise **à** carreaux.*

Pour indiquer une matière, on utilise souvent **en** (parfois **de**).

— *Une table **en** verre.*

Pour indiquer une fonction, on utilise souvent **de** (parfois **à**).

— *Tu n'as pas vu mon sac **de** sport?*

SITUER DANS LE TEMPS

LES OUTILS ESSENTIELS

L'HEURE

 Il est **deux heures**.

 Il est **deux heures dix**.

 Il est **deux heures et quart**.

 Il est **deux heures et demie**.

 Il est **deux heures moins le quart**.

 Il est **deux heures moins cinq**.

Pour demander l'heure:

● *Il est quelle heure? / Quelle heure est-il?*

○ *Il est 11 h.*

Pour demander l'heure d'une activité :
- *À quelle heure tu as cours ? /*
  Tu as cours à quelle heure ?
- *J'ai cours à 15 h.*

LA JOURNÉE

Le matin, le midi, l'après-midi, le soir.

LES JOURS DE LA SEMAINE

Lundi, mardi, mercredi, jeudi, vendredi, samedi, dimanche.

LES MOIS DE L'ANNÉE

Janvier, février, mars, avril, mai, juin, juillet, août, septembre, octobre, novembre, décembre.

LES SAISONS

Le printemps, l'été, l'automne, l'hiver

 le printemps :
21 mars - 20 juin

 l'été :
21 juin - 20 septembre

 l'automne :
21 septembre - 20 décembre

 l'hiver :
21 décembre - 20 mars

LES INDICATEURS DE TEMPS

Quelques indicateurs de temps pour parler au présent :

Aujourd'hui,	
En ce moment,	
Maintenant,	
Tout de suite,	
Ce matin,	
Cet après-midi,	je range ma chambre !
Ce soir,	
Ce weekend,	
Cette semaine,	
Ce mois-ci,	
Cette année	

Quelques indicateurs de temps pour parler au futur :

Tout à l'heure,	
Demain	
Mercredi prochain,	*on va repeindre la salle.*
Le week-end prochain,	
La semaine prochaine,	
Le mois prochain,	
L'année prochaine,	

Quelques indicateurs de temps pour parler au passé :

Tout à l'heure,	
Hier,	
La semaine dernière,	
Le mois dernier,	*j'ai fait de l'escalade.*
L'été dernier,	
L'année dernière,	

LA DURÉE

- **Pendant** permet d'évoquer la durée d'une action ou d'un état terminé, passé.

  — *Je l'ai attendu **pendant** une heure !*

- **Il y a** permet d'évoquer une action passée qui est terminée au moment où on parle

  — ***Il y a** un mois, on s'est disputés.*

- **Ça fait** permet d'évoquer une action passée qui est terminée ou qui continue au moment où on parle

  — ***Ça fait** trois jours qu'on s'est réconciliés.*

- **Depuis** permet d'évoquer un état ou une action commencée dans le passé et qui continue toujours au moment où on parle.

  — ***Depuis** qu'on s'est réconciliés, tout va bien.*

LES PÉRIODES DE TEMPS

Pour indiquer des actions ou des états qui durent une période entière, on utilise **tout(e)**.

— *Dans les Alpes, les stations de ski sont ouvertes tout l'hiver.*

Pour indiquer une période qui se compte en mois, on utilise **au mois de** ou **en**, suivis du nom de mois.

— *Le stage de surf aura lieu **au mois de** juin / **en** juin.*

Pour indiquer une saison, on dit **en** été, **en** automne, **en** hiver et **au** printemps

Pour indiquer le début et la fin d'une période de plusieurs heures, plusieurs mois ou plusieurs années, on utilise les prépositions **de** et **à** ensemble.

— *La piscine sera ouverte **de** mai **à** septembre.*

! Quand les indications de temps ont des articles masculins (par exemple les noms des jours ou les dates précises), les prépositions fusionnent avec les articles.

— On joue au foot **du** matin **au** soir.
— Le stage de peinture aura lieu **du** 15 juillet **au** 15 août.

LA PHRASE

LA PHRASE INTERROGATIVE

LES PRONOMS INTERROGATIFS

● **Qui** est ce garçon ?
○ C'est mon cousin.

● **Combien** coûte ce jeu vidéo ?
○ 15 euros.

● **Que** veut dire ce mot ?
○ Il veut dire «amour» en allemand.

● **Où** habitez-vous ?
○ À Poitiers.

● **Comment** il est ?
○ Il est blond avec les yeux verts.

● Tu pars **quand** ?
○ Mardi prochain.

● C'est **quoi** ton numéro de téléphone ?
○ C'est le 06 82 54 59 87.

● **Est-ce que** tu fais du théâtre ?
○ Non, je fais de la musique.

● **Qu'est-ce que** tu fais aujourd'hui ?
○ Je vais à la piscine.

● **Pourquoi** tu vas tous les jours à la plage ?
○ **Parce que** j'adore la mer.
○ **Pour** voir mes amis.

LES ADJECTIFS INTERROGATIFS

On peut utiliser les adjectifs interrogatifs **quel, quelle, quels, quelles** pour poser une question sur quelqu'un ou sur quelque chose.
Ils s'accordent en genre et en nombre avec le nom.

● **Quelles** sont tes activités préférées ?
○ Moi, j'aime le sport, la musique et la danse.

	masculin	féminin
singulier	**Quel** est ton loisir préféré ?	**Quelle** est ta chanson préférée ?
pluriel	**Quels** sont tes loisirs préférés ?	**Quelles** sont tes chansons préférées ?

LE BUT

On utilise **pour, afin de, dans le but de** suivi d'un verbe à l'infinitif pour exprimer le but. L'objectif peut être réalisé ou non : c'est l'intention qui compte.

— **Pour** être en forme, il faut faire du sport.
— Tu écoutes de la musique douce **pour** te détendre.
— Nous faisons du tai-chi **afin d'**apprendre à mieux respirer.
— Elle s'est entraînée tous les jours **dans le but de** gagner la compétition.

L'OPPOSITION

On utilise **mais, par contre, alors que** et **au contraire** pour comparer ou opposer deux actions ou informations.

— Il mange du poisson **mais** il n'aime pas la viande.
— Mon frère dort beaucoup, **alors que** moi je suis insomniaque.
— Il mange des fruits, **par contre** il ne mange pas de légumes !
— Ma soeur n'aime pas le basket. Moi, **au contraire**, j'adore ça !

LA CAUSE

• Pour indiquer une cause, on peut utiliser **parce que**, qui est neutre et qui peut être suivi d'une action, donc d'un verbe.

— Je fais du rugby **parce que** j'aime les sports d'équipe:

• Pour préciser si cette cause a eu des effets positifs, on utilise **grâce à**. Et pour une cause avec des effets négatifs, on utilise **à cause de**.

Grâce à toi, on a pu faire un beau court-métrage.
— On a dû refaire la scène **à cause d'**un problème technique.

• On peut indiquer les causes évidentes d'une action ou d'une information avec **comme** ou **vu que**, généralement placés en début de phrase.

— **Comme** il est stressé, il fait beaucoup de sport.
— **Vu que** j'aime grimper, je voudrais faire de l'escalade.

LA CONSÉQUENCE

DONC ET ALORS

Pour introduire les conséquences d'un fait, d'un état, d'un événement positif ou négatif, on utilise **alors** ou **donc**. Ils sont synonymes, mais alors est plus souvent utilisé à l'oral et donc est un peu plus fréquent à l'écrit.

Les conséquences introduites par **donc** et **alors** sont toujours placées après la présentation du problème.

— Ils n'ont pas d'eau potable, **donc** ils boivent de l'eau non potable et ils tombent malades.
— On veut protester **alors** on vient à la manifestation.

SI... QUE / TELLEMENT... QUE

On utilise **si... que** et **tellement... que** pour donner de l'intensité et expliquer un lien de cause à effet, expliquer une ou plusieurs conséquences.

Si... que et **tellement... que** ajoutent de l'intensité à un adjectif ou un adverbe. Mais ils ne sont pas toujours interchangeables. **Tellement... que** peut aussi donner de l'intensité à un verbe, alors que **si... que** ne peut pas.

— Ce groupe est **tellement** célèbre **qu'**il fait des concerts dans le monde entier.
— Ce groupe est **si** talentueux **qu'**il a obtenu trois Grammy Awards cette année.

LA CONCESSION

Même si et **quand même** permettent d'apporter une nuance, de corriger une affirmation ou d'indiquer une contradiction.

Même si est placé avant le verbe qu'il accompagne, alors que **quand même** est placé après le verbe qu'il accompagne.

Quand même est souvent utilisé avec **mais**.

— **Même si** j'adore ce groupe, je n'ai pas tous ses albums.
— Le concert était nul, mais on est **quand même** restés jusqu'à la fin.

GRAMMAIRE DE LA COMMUNICATION

SALUER, S'EXCUSER, REMERCIER

• Quand on arrive :
- Bonjour madame. Comment allez-vous ?
○ Bien et vous ?
- Salut, Emma ! Ça va ?
○ Ça va. Et toi ? Tu vas bien ?

• Quand on part :
– Au revoir !
– À bientôt !
– À demain !
– À lundi !
– À plus !

• Le soir (en arrivant et en partant) :
– Bonsoir !

• S'excuser :
– Pardon ! / Excuse-moi !
– Oh ! Excusez-moi, je suis désolé(e) !

• Remercier :
– Merci / Merci beaucoup !

EN CLASSE DE FRANÇAIS

– Comment ça s'écrit « monsieur » ?
– Est-ce que « où » porte un accent ?
– Comment ça s'appelle en français ?
– Qu'est-ce que ça signifie « acheter » ?
– On est à quelle page/unité ?
– Pardon ?
– Est-ce que vous pouvez parler plus fort / plus lentement, s'il vous plaît ?
– Vous pouvez réexpliquer s'il vous plaît ?
– Vous pouvez écrire le mot / la phrase au tableau ?

LES COORDONNÉES PERSONNELLES

Nom : Martinez
Prénom : Lena
Date et lieu de naissance : 12 mai 1998 à Strasbourg (France)
Adresse : 4 rue de la Gare (Morges)
Pays : Suisse

PRÉSENTER QUELQU'UN

On utilise les présentatifs pour identifier, désigner ou présenter quelqu'un ou quelque chose.

- **C'est** + nom de personne ou de chose au singulier :
- ● *C'est Clarisse ?*
- ○ *Non, c'est Hélène !*

- **Ce sont** + nom de personne ou de chose au pluriel :
- ● *Ce sont les frères de Paul ?*
- ○ *Non, ce sont les cousins de Paul.*

- À la forme négative :
- ● *C'est Diane ?*
- ○ *Non, ce n'est pas Diane.*

EXPRIMER SES GOÛTS

+

Je **suis fan de** BD.

J'**adore** la plongée sous-marine.

J'**aime beaucoup** le foot.

J'**aime bien** le rock.

Je **n'aime pas beaucoup** les poires.

Je **n'aime pas** la danse.

Je **n'aime pas du tout** la viande.

Je **déteste** les séries télévisées.

–

EXPRIMER DES PRÉFÉRENCES

Pour indiquer qu'on aime quelqu'un ou quelque chose plus que d'autres personnes ou d'autres choses, on utilise le verbe **préférer**. Si les personnes ou les choses qu'on aime moins sont précisées, elles sont introduites par **à** ou **au(x)**.

— *Les bords du lac, c'est l'endroit que je **préfère**.*
— *C'est sa chanson **préférée**.*
— *Elle **préfère** les jeux vidéos **aux** jeux de cartes.*

EXPRIMER DES SOUHAITS, DES ENVIES

Pour exprimer un désir, un souhait, on peut dire **je veux**. Mais pour rendre le message plus poli ou plus mesuré, on utilise très souvent les verbes **vouloir** et **aimer** au conditionnel, suivis d'un verbe à l'infinitif. Ils vont souvent avec l'adverbe **bien**.

Pour un souhait ou un désir momentané, on peut aussi utiliser l'expression **avoir envie de** suivie de l'infinitif. Et quand un désir est soit très fort, soit

irréalisable, on peut utiliser l'expression **rêver de** suivie de l'infinitif.

— *J'**aimerais** visiter Venise un jour.*
— *Je **voudrais** rester tranquille chez moi pendant les vacances.*
— *J'**ai envie de** manger une glace au chocolat.*
— *Je **rêve de** faire le tour du monde en camionette.*

DONNER SON AVIS

- **D'après moi/toi/il/elle...**
  — *D'après elle, les fêtes de fin d'année sont très difficiles pour les sans-abri.*
- **À mon/ton/son avis**
  — *À mon avis, on n'a pas le choix : il faut qu'on soit solidaires si on veut faire changer les choses.*
- **Penser que**
  — *Je **pense que** c'est bien de connaître plein de cultures.*
- **Trouver que**
  — *Ils **trouvent que** les gens utilisent des moyens de transport trop polluants.*

COMPARER ET CLASSER

Pour comparer ou classer des époques, des lieux, des personnes, des choses, etc., on utilise aussi des adverbes.

LES COMPARATIFS

- **plus + adjectif + que**
  — *Elle est **plus** drôle **que** sa copine.*
- **moins + adjectif + que**

  — *Il est **moins** gentil **que** son frère.*
- **pareil / la même, le même, les mêmes + nom (que)**
  — *On peut passer par la gauche ou par la droite. C'est **pareil** !*
  — *Tu as **les mêmes** chaussures **que** ton copain :*
  — *Tu ne veux pas changer de disque ? On écoute toujours **la même** chose.*

LES SUPERLATIFS

- **le plus (+ adjectif) (+ de la /du / des)**
  — *Chez moi, c'est mon frère qui dort **le plus**.*
  — *Dans la classe, c'est Laura **la plus** gentille.*
  — *C'est **la plus** belle ville **du** monde !*

• **le moins (+ adjectif) (+ de la /du / des)**

— *Dans ma famille c'est ma mère qui dort **le moins**.*

— *Ce problème est **le moins** important.*

— *C'est **la moins** connue **de ses** chansons:*

⚠ **Bon** et **mauvais**, **bien** et **mal** ont des comparatifs et des superlatifs irréguliers.

> bien → **mieux**
>
> mal → **pire / plus mal**
>
> bon(ne)(s) → **meilleur(e)s**
>
> mauvais(e)(s) → **plus mauvais(e)(s)**
>
> → **pire**

— *Ce violoniste joue **bien** ; il joue **mieux que** les autres musiciens.*

— *Elle va **mal**. Son état est encore **pire** qu'hier. / Elle va encore **plus mal** qu'hier.*

— ***De** toutes les joueuses, c'est elle **la meilleure**.*

— *C'est **le pire** / **le plus mauvais** film de l'année.*

EXPRIMER LE DOUTE ET LA CERTITUDE

LE DOUTE

• **Oui ?**
– *Je crois.*
– *C'est possible.*

• **Ni oui ni non**
– *Peut-être.*
– *Je ne sais pas.*

• **Non ?**
– *Je n'en suis pas sûr(e).*
– *Je ne crois pas.*

LA CERTITUDE

• **Oui !**
– *J'en suis sûr(e).*
– *J'en suis certain(e)*
– *J'en ai la certitude.*

• **Non !**
– *C'est impossible.*
– *Pas du tout.*

L'OBLIGATION

L'OBLIGATION IMPERSONNELLE

On utilise **il faut + infinitif** pour exprimer une nécessité ou une obligation générale ou impersonnelle.
Le verbe qui suit est toujours à l'infinitif.

— *Pour réussir la compétition, **il faut s'entraîner** beaucoup.*

⚠ À la forme négative, **il faut** exprime l'interdiction, la défense.

— *Il **ne faut pas** manger en cours.*

L'OBLIGATION PERSONNELLE

• ***devoir*** + infinitif

On utilise le verbe **devoir** pour exprimer une obligation personnelle.

— *Tu **dois** manger mieux pour être en forme.*

À la forme négative, il exprime une interdiction :

— *Tu **ne dois pas** en parler : c'est un secret.*

• ***il faut*** que + subjonctif

Si on veut utiliser **il faut** et préciser le sujet, la ou les personnes concernées, on utilise ***il faut que*** suivi d'un verbe au subjonctif présent. C'est la présence de ***que*** qui permet de savoir si le verbe doit être à l'infinitif ou au subjonctif.

— *Il **faut que** <u>je fasse</u> les courses.*

LA NÉCESSITÉ

• ***Avoir besoin de***
– ***J'ai besoin d'**une prise pour brancher l'ordinateur.*

• ***Il* + pronom + *faut***
– ***Il me faut** un nouveau maillot de foot : le mien est déchiré.*

• ***Se passer de***
– *Tu ne peux pas **te passer de** livres.*
– *Je peux **me passer de** musique.*
– *Tu **t'en passes** très bien.*

• ***Vivre avec /Vivre sans***
– *Je ne peux pas **vivre sans** mon téléphone.*
– *Je peux **vivre sans** toi, mais je préfère **vivre avec**.*

L'UTILITÉ

• ***Servir (à)***
– *Ça **sert à** quelque chose.*
– *Un couteau suisse, ça **sert** toujours !*
– *Ça **ne sert à rien**.*

• **Être utile**
– *C'est très **utile** !*
– *Ce n'est **pas utile** du tout.*
– *C'est **inutile**.*

LA CONDITION

SI + PRÉSENT OU FUTUR

On utilise cette construction pour exprimer une condition. La condition est introduite par si et la phrase principale peut être soit au présent de l'indicatif, soit à l'impératif, soit au futur simple. Elles peuvent échanger leurs places sans que cela change le sens de la phrase.

— *Si tu veux changer le monde, **engage**-toi !*
— *Ce **sera** plus sympa **si tu viens** avec nous.*

SI + IMPARFAIT

On utilise cette construction pour exprimer une hypothèse, une possibilité incertaine ou pour donner des conseils. La proposition au conditionnel peut être placée avant ou après celle qui commence par *si* + imparfait.

— ***Si j'avais** le choix, je n'utiliserais pas mon portable tous les jours.*
— *Je mangerais plus de fruits, **si j'étais** toi.*

L'ALTERNATIVE

Pour indiquer qu'il serait mieux de faire une action à la place d'une autre action, on utilise **plutôt que de** ou **au lieu de** suivi d'un verbe à l'infinitif.

— ***Au lieu de** ne rien faire, on peut lancer une pétition.*
— *À mon avis, on devrait vendre des tee-shirt **plutôt que de** faire un appel aux dons.*

L'APPARENCE ET LA SIMULATION

• avoir l'air (de)

On utilise l'expression **avoir l'air (de)** pour exprimer quelque chose d'apparent, qui se voit, mais qui n'est pas sûr. C'est juste une supposition. Il est suivi d'un adjectif ou d'un verbe à l'infinitif.

— *À la fin de la scène, il **a l'air** très étonné.*
— *Le public **a l'air d'**adorer le film.*

❗ Quand **avoir l'air de** est suivi d'un groupe nominal, il est synonyme de **ressembler**.

— *Avec ces lunettes, tu **as l'air d'**une star de cinéma.*

• faire semblant (de) + verbe à l'infinitif

On utilise l'expression **faire semblant (de)** pour indiquer qu'une action n'est pas réellement faite, que ce n'est pas vrai, ou que la personne n'est pas sincère.

— *Quand on joue au théâtre, on **fait semblant de** ressentir plein d'émotions.*

— *Ne montre pas que tu es en colère: **fais semblant** d'être content.*

LES QUANTITÉS HUMAINES

Quand on parle de personnes, on utilise les **collectifs**, les **proportions** et les **pourcentages** pour évoquer une partie, plus ou moins importante, d'un groupe de gens.

Souvent, on utilise les **pourcentages** pour donner des **indications très précises**, les **proportions** pour donner une idée de l'**importance** de ce qu'on évoque et les **collectifs** pour **résumer** une situation. On peut les utiliser pour parler d'un même groupe de personnes.

• Les **pourcentages** vont de 0 à 100 et sont suivis du signe %.
  ***66 %** des jeunes Canadiens ont fait du bénévolat.*

• Les **proportions** les plus courantes sont : **le quart, le tiers, la moitié, les deux tiers, les trois-quarts** et **la totalité**. On peut aussi évoquer les proportions avec les expressions suivantes : **un sur deux**, **un sur trois**, **un sur quatre**, etc. jusqu'à **dix**.
  — ***Les deux tiers** des jeunes Canadiens ont fait du bénévolat.*
  — ***Deux** jeunes Canadiens **sur trois** ont fait du bénévolat.*

• Les **collectifs** : on utilise **la majorité** et **la plupart** pour indiquer que plus de la moitié (50 %) des membres d'un groupe sont concernés. Ils sont synonymes.
  — ***La plupart** des jeunes Canadiens ont fait du bénévolat.*
  — ***La majorité** des jeunes Canadiens ont fait du bénévolat.*

CONJUGAISON

	PRÉSENT DE L'INDICATIF	PASSÉ COMPOSÉ	IMPARFAIT
Avoir	J'ai Tu as Il/Elle/On a Nous avons Vous avez Ils/Elles ont	J'ai eu Tu as eu Il/Elle/On a eu Nous avons eu Vous avez eu Ils/Elles ont eu	J'avais Tu avais Il/Elle/On avait Nous avions Vous aviez Ils/Elles avaient
Être	Je suis Tu es Il/Elle/On est Nous sommes Vous êtes Ils/Elles sont	J'ai été Tu as été Il/Elle/On a été Nous avons été Vous avez été Ils/Elles ont été	J'étais Tu étais Il/Elle/On était Nous étions Vous étiez Ils/Elles étaient

VERBES EN -ER

Parler	Je parle Tu parles Il/Elle/On parle Nous parlons Vous parlez Ils/Elles parlent	J'ai parlé Tu as parlé Il/Elle/On a parlé Nous avons parlé Vous avez parlé Ils/Elles ont parlé	Je parlais Tu parlais Il/Elle/On parlait Nous parlions Vous parliez Ils/Elles parlaient

FORMES PARTICULIÈRES

Aller	Je vais Tu vas Il/Elle/On va Nous allons Vous allez Ils/Elles vont	Je suis allé(e) Tu es allé(e) Il/Elle/On est allé(e)(s) Nous sommes allé(e)s Vous êtes allé(e)(s) Ils/Elles sont allé(e)s	J'allais Tu allais Il/Elle/On allait Nous allions Vous alliez Ils/Elles allaient

 Les participes des verbes comme **aller**, qui font leur passé composé avec **être**, s'accordent : elle est n**ée** ; ils sont part**is** ; on est entr**és**/entr**ées** (quand « on » remplace « nous »).

Appeler	J'appelle Tu appelles Il/Elle/On appelle Nous appelons Vous appelez Ils/Elles appellent	J'ai appelé Tu as appelé Il/Elle/On a appelé Nous avons appelé Vous avez appelé Ils/Elles ont appelé	J'appelais Tu appelais Il/Elle/On appelait Nous appelions Vous appeliez Ils/Elles appelaient
Changer	Je change Tu changes Il/Elle/On change Nous changeons Vous changez Ils/Elles changent	J'ai changé Tu as changé Il/Elle/On a changé Nous avons changé Vous avez changé Ils/Elles ont changé	Je changeais Tu changeais Il/Elle/On changeait Nous changions Vous changiez Ils/Elles changeaient
Essayer	J'essaye/essaie Tu essayes/essaies Il/Elle/On essaye/essaie Nous essayons Vous essayez Ils/Elles essayent/essaient	J'ai essayé Tu as essayé Il/Elle/On a essayé Nous avons essayé Vous avez essayé Ils/Elles ont essayé	J'essayais Tu essayais Il/Elle/On essayait Nous essayions Vous essayiez Ils/Elles essayaient

 Les verbes en **-yer** comme **payer** ou **effrayer** ont deux formes possibles

FUTUR SIMPLE	CONDITIONNEL	PRÉSENT DU SUBJONCTIF	IMPÉRATIF
J'aurai Tu auras Il/Elle/On aura Nous aurons Vous aurez Ils/Elles auront	J'aurais Tu aurais Il/Elle/On aurait Nous aurions Vous auriez Ils/Elles auraient	Que j'aie Que tu aies Qu'il/elle/on ait Que nous ayons Que vous ayez Qu'ils/elles aient	Aie Ayons Ayez
Je serai Tu seras Il/Elle/On sera Nous serons Vous serez Ils/Elles seront	Je serais Tu serais Il/Elle/On serait Nous serions Vous seriez Ils/Elles seraient	Que je sois Que tu sois Qu'il/elle/on soit Que nous soyons Que vous soyez Qu'ils/elles soient	Sois Soyons Soyez
Je parlerai Tu parleras Il/Elle/On parlera Nous parlerons Vous parlerez Ils/Elles parleront	Je parlerais Tu parlerais Il/Elle/On parlerait Nous parlerions Vous parleriez Ils/Elles parleraient	Que je parle Que tu parles Qu'il/elle/on parle Que nous parlions Que vous parliez Qu'ils/elles parlent	Parle Parlons Parlez
J'irai Tu iras Il/Elle/On ira Nous irons Vous irez Ils/Elles iront	J'irais Tu irais Il/Elle/On irait Nous irions Vous iriez Ils/Elles iraient	Que j'aille Que tu ailles Qu'il/elle/on aille Que nous allions Que vous alliez Qu'ils/elles aillent	Va Allons Allez
J'appellerai Tu appelleras Il/Elle/On appellera Nous appellerons Vous appellerez Ils/Elles appelleront	J'appellerais Tu appellerais Il/Elle/On appellerait Nous appellerions Vous appelleriez Ils/Elles appelleraient	Que j'appelle Que tu appelles Qu'il/elle/on appelle Que nous appellions Que vous appelliez Qu'ils/elles appellent	Appelle Appelons Appelez
Je changerai Tu changeras Il/Elle/On changera Nous changerons Vous changerez Ils/Elles changeront	Je changerais Tu changerais Il/Elle/On changerait Nous changerions Vous changeriez Ils/Elles changeraient	Que je change Que tu changes Qu'il/elle/on change Que nous changions Que vous changiez Qu'ils/elles changent	Change Changeons Changez
J'essayerai/essaierai Tu essayeras/essaieras Il/Elle/On essayera/essaiera Nous essayerons/essaierons Vous essayerez/essaierez Ils/Elles essayeront/essaieront	J'essayerais/essaierais Tu essayerais/essaierais Il/Elle/On essayerait/essaierait Nous essayerions/essaierions Vous essayeriez/essaieriez Ils/Elles essayeraient/essaieraient	Que j'essaye/essaie Que tu essayes/essaies Qu'il/elle/on essaye/essaie Que nous essayions Que vous essayiez Qu'ils/elles essayent/essaient	Essaye/Essaie Essayons Essayez

Conjugaison

	PRÉSENT DE L'INDICATIF	PASSÉ COMPOSÉ	IMPARFAIT
Jouer	Je joue Tu joues Il/Elle/On joue Nous jouons Vous jouez Ils/Elles jouent	J'ai joué Tu as joué Il/Elle/On a joué Nous avons joué Vous avez joué Ils/Elles ont joué	Je jouais Tu jouais Il/Elle/On jouait Nous jouions Vous jouiez Ils/Elles jouaient
Préférer	Je préfère Tu préfères Il/Elle/On préfère Nous préférons Vous préférez Ils/Elles préfèrent	J'ai préféré Tu as préféré Il/Elle/On a préféré Nous avons préféré Vous avez préféré Ils/Elles ont préféré	Je préférais Tu préférais Il/Elle/On préférait Nous préférions Vous préfériez Ils/Elles préféraient
Se calmer	Je me calme Tu te calmes Il/Elle/On se calme Nous nous calmons Vous vous calmez Ils/Elles se calment	Je me suis calmé(e) Tu t'es calmé(e) Il/Elle/On s'est calmé(e)(s) Nous nous sommes calmé(e)s Vous vous êtes calmé(e)(s) Ils/Elles se sont calmé(e)s	Je me calmais Tu te calmais Il/Elle/On se calmait Nous nous calmions Vous vous calmiez Ils/Elles se calmaient

LES VERBES EN -IR

	PRÉSENT DE L'INDICATIF	PASSÉ COMPOSÉ	IMPARFAIT
Choisir	Je choisis Tu choisis Il/Elle/On choisit Nous choisissons Vous choisissez Ils/Elles choisissent	J'ai choisi Tu as choisi Il/Elle/On a choisi Nous avons choisi Vous avez choisi Ils/Elles ont choisi	Je choisissais Tu choisissais Il/Elle/On choisissait Nous choisissions Vous choisissiez Ils/Elles choisissaient

! Les verbes **dormir, finir** et **réussir** se conjuguent sur ce modèle.

	PRÉSENT DE L'INDICATIF	PASSÉ COMPOSÉ	IMPARFAIT
Venir	Je viens Tu viens Il/Elle/On vient Nous venons Vous venez Ils/Elles viennent	Je suis venu(e) Tu es venu(e) Il/Elle/On est venu(e)(s) Nous sommes venu(e)s Vous êtes venu(e)s Ils/Elles sont venu(e)s	Je venais Tu venais Il/Elle/On venait Nous venions Vous veniez Ils/Elles venaient
Sortir	Je sors Tu sors Il/Elle/On sort Nous sortons Vous sortez Ils/Elles sortent	Je suis sorti(e) Tu es sorti(e) Il/Elle/On est sorti(e)(s) Nous sommes sorti(e)s Vous êtes sorti(e)(s) Ils/Elles sont sorti(e)s	Je sortais Tu sortais Il/Elle/On sortait Nous sortions Vous sortiez Ils/Elles sortaient

! Le verbe **partir** se conjugue sur ce modèle.

	PRÉSENT DE L'INDICATIF	PASSÉ COMPOSÉ	IMPARFAIT
Ouvrir	J'ouvre Tu ouvres Il/Elle/On ouvre Nous ouvrons Vous ouvrez Ils/Elles ouvrent	J'ai ouvert Tu as ouvert Il/Elle/On a ouvert Nous avons ouvert Vous avez ouvert Ils/Elles ont ouvert	J'ouvrais Tu ouvrais Il/Elle/On ouvrait Nous ouvrions Vous ouvriez Ils/Elles ouvraient

! Les verbes **découvrir**, **offrir** et **souffrir** se conjuguent sur ce modèle.

FUTUR SIMPLE	CONDITIONNEL	PRÉSENT DU SUBJONCTIF	IMPÉRATIF
Je jouerai Tu joueras Il/Elle/On jouera Nous jouerons Vous jouerez Ils/Elles joueront	Je jouerais Tu jouerais Il/Elle/On jouerait Nous jouerions Vous joueriez Ils/Elles joueraient	Que je joue Que tu joues Qu'il/elle/on joue Que nous jouions Que vous jouiez Qu'ils/elles jouent	Joue Jouons Jouez
Je préférerai Tu préféreras Il/Elle/On préférera Nous préférerons Vous préférerez Ils/Elles préféreront	Je préférerais Tu préférerais Il/Elle/On préférerait Nous préférerions Vous préféreriez Ils/Elles préféreraient	Que je préfère Que tu préfères Qu'il/elle/on préfère Que nous préférions Que vous préfériez Qu'ils/elles préfèrent	**!** L'impératif de **préférer** n'est pas utilisé
Je me calmerai Tu te calmeras Il/Elle/On se calmera Nous nous calmerons Vous vous calmerez Ils/Elles se calmeront	Je me calmerais Tu te calmerais Il/Elle/On se calmerait Nous nous calmerions Vous vous calmeriez Ils/Elles se calmeraient	Que je me calme Que tu te calme Qu'il/elle/on se calme Que nous nous calmions Que vous vous calmiez Qu'ils/elles se calment	Calme-toi Calmons-nous Calmez-vous
Je choisirai Tu choisiras Il/Elle/On choisira Nous choisirons Vous choisirez Ils/Elles choisiront	Je choisirais Tu choisirais Il/Elle/On choisirait Nous choisirions Vous choisiriez Ils/Elles choisiraient	Que je choisisse Que tu choisisses Qu'il/elle/on choisisse Que nous choisissions Que vous choisissiez Qu'ils/elles choisissent	Choisis Choisissons Choisissez
Je viendrai Tu viendras Il/Elle/On viendra Nous viendrons Vous viendrez Ils/Elles viendront	Je viendrais Tu viendrais Il/Elle/On viendrait Nous viendrions Vous viendriez Ils/Elles viendraient	Que je vienne Que tu viennes Qu'il/elle/on vienne Que nous venions Que vous veniez Qu'ils/elles viennent	Viens Venons Venez
Je sortirai Tu sortiras Il/Elle/On sortira Nous sortirons Vous sortirez Ils/Elles sortiront	Je sortirais Tu sortirais Il/Elle/On sortirait Nous sortirions Vous sortiriez Ils/Elles sortiraient	Que je sorte Que tu sortes Qu'il/elle/on sorte Que nous sortions Que vous sortiez Qu'ils/elles sortent	Sors Sortons Sortez
J'ouvrirai Tu ouvriras Il/Elle/On ouvrira Nous ouvrirons Vous ouvrirez Ils/Elles ouvriront	J'ouvrirais Tu ouvrirais Il/Elle/On ouvrirait Nous ouvririons Vous ouvririez Ils/Elles ouvriraient	Que j'ouvre Que tu ouvres Qu'il/elle/on ouvre Que nous ouvrions Que vous ouvriez Qu'ils/elles ouvrent	Ouvre Ouvrons Ouvrez

Conjugaison

	PRÉSENT DE L'INDICATIF	PASSÉ COMPOSÉ	IMPARFAIT

LES VERBES EN -IRE

	PRÉSENT DE L'INDICATIF	PASSÉ COMPOSÉ	IMPARFAIT
Dire	Je dis Tu dis Il/Elle/On dit Nous disons Vous dites Ils/Elles disent	J'ai dit Tu as dit Il/Elle/On a dit Nous avons dit Vous avez dit Ils/Elles ont dit	Je disais Tu disais Il/Elle/On disait Nous disions Vous disiez Ils/Elles disaient
Lire	Je lis Tu lis Il/Elle/On lit Nous lisons Vous lisez Ils/elles lisent	J'ai lu Tu as lu Il/Elle/On a lu Nous avons lu Vous avez lu Ils/elles ont lu	Je lisais Tu lisais Il/Elle/On lisait Nous lisions Vous lisiez Ils/Elles lisaient
Sourire	Je souris Tu souris Il/Elle/On sourit Nous sourions Vous souriez Ils/Elles sourient	J'ai souri Tu as souri Il/Elle/On a souri Nous avons souri Vous avez souri Ils/Elles ont souri	Je souriais Tu souriais Il/Elle/On souriait Nous souriions Vous souriiez Ils/Elles souriaient

 Le verbe **rire** se conjugue sur ce modèle.

LES VERBES EN -OIR

	PRÉSENT DE L'INDICATIF	PASSÉ COMPOSÉ	IMPARFAIT
Voir	Je vois Tu vois Il/Elle/On voit Nous voyons Vous voyez Ils/Elles voient	J'ai vu Tu as vu Il/Elle/On a vu Nous avons vu Vous avez vu Ils/Elles ont vu	Je voyais Tu voyais Il/Elle/On voyait Nous voyions Vous voyiez Ils/Elles voyaient
Pouvoir	Je peux Tu peux Il/Elle/On peut Nous pouvons Vous pouvez Ils/Elles peuvent	J'ai pu Tu as pu Il/Elle/On a pu Nous avons pu Vous avez pu Ils/Elles ont pu	Je pouvais Tu pouvais Il/Elle/On pouvait Nous pouvions Vous pouviez Ils/Elles pouvaient
Vouloir	Je veux Tu veux Il/Elle/On veut Nous voulons Vous voulez Ils/Elles veulent	J'ai voulu Tu as voulu Il/Elle/On a voulu Nous avons voulu Vous avez voulu Ils/Elles ont voulu	Je voulais Tu voulais Il/Elle/On voulait Nous voulions Vous vouliez Ils/Elles voulaient
Devoir	Je dois Tu dois Il/Elle/On doit Nous devons Vous devez Ils/Elles doivent	J'ai dû Tu as dû Il/Elle/On a dû Nous avons dû Vous avez dû Ils/Elles ont dû	Je devais Tu devais Il/Elle/On devait Nous devions Vous deviez Ils/Elles devaient

FUTUR SIMPLE	CONDITIONNEL	PRÉSENT DU SUBJONCTIF	IMPÉRATIF
Je dirai Tu diras Il/Elle/On dira Nous dirons Vous direz Ils/Elles diront	Je dirais Tu dirais Il/Elle/On dirait Nous dirions Vous diriez Ils/Elles diraient	Que je dise Que tu dises Qu'il/elle/on dise Que nous disions Que vous disiez Qu'ils/elles disent	Dis Disons Dites
Je lirai Tu liras Il/Elle/On lira Nous lirons Vous lirez Ils/Elles liront	Je lirais Tu lirais Il/Elle/On lirait Nous lirions Vous liriez Ils/Elles liraient	Que je lise Que tu lises Qu'il/elle/on lise Que nous lisions Que vous lisiez Qu'ils/elles lisent	Lis Lisons Lisez
Je sourirai Tu souriras Il/Elle/On sourira Nous sourirons Vous sourirez Ils/Elles souriront	Je sourirais Tu sourirais Il/Elle/On sourirait Nous souririons Vous souririez Ils/Elles souriraient	Que je sourie Que tu souries Qu'il/elle/on sourie Que nous souriions Que vous souriiez Qu'ils/elles sourient	Souris Sourions Souriez

FUTUR SIMPLE	CONDITIONNEL	PRÉSENT DU SUBJONCTIF	IMPÉRATIF
Je verrai Tu verras Il/Elle/On verra Nous verrons Vous verrez Ils /Elles verront	Je verrais Tu verrais Il/Elle/On verrait Nous verrions Vous verriez Ils/Elles verraient	Que je voie Que tu voies Qu'il/elle/on voie Que nous voyions Que vous voyiez Qu'ils/elles voient	Vois Voyons Voyez
Je pourrai Tu pourras Il/Elle/On pourra Nous pourrons Vous pourrez Ils/Elles pourront	Je pourrais Tu pourrais Il/Elle/On pourrait Nous pourrions Vous pourriez Ils/Elles pourraient	Que je puisse Que tu puisses Qu'il/elle/on puisse Que nous puissions Que vous puissiez Qu'ils/elles puissent	**!** **Pouvoir** n'a pas d'impératif
Je voudrai Tu voudras Il/Elle/On voudra Nous voudrons Vous voudrez Ils/Elles voudront	Je voudrais Tu voudrais Il/Elle/On voudrait Nous voudrions Vous voudriez Ils/Elles voudraient	Que je veuille Que tu veuilles Qu'il/elle/on veuille Que nous voulions Que vous vouliez Qu'ils/elles veuillent	**!** À part **veuillez**, dans des lettres très formelles, l'impératif de **vouloir** n'est pas utilisé.
Je devrai Tu devras Il/Elle/On devra Nous devrons Vous devrez Ils/Elles devront	Je devrais Tu devrais Il/Elle/On devrait Nous devrions Vous devriez Ils/Elles devraient	Que je doive Que tu doives Qu'il/elle/on doive Que nous devions Que vous deviez Qu'ils/elles doivent	**!** L'impératif de **devoir** n'est pas utilisé.

Conjugaison

PRÉSENT DE L'INDICATIF	PASSÉ COMPOSÉ	IMPARFAIT

LES VERBES EN -RE

Faire

PRÉSENT DE L'INDICATIF	PASSÉ COMPOSÉ	IMPARFAIT
Je fais	J'ai fait	Je faisais
Tu fais	Tu as fait	Tu faisais
Il/Elle/On fait	Il/Elle/On a fait	Il/Elle/On faisait
Nous faisons	Nous avons fait	Nous faisions
Vous faites	Vous avez fait	Vous faisiez
Ils/Elles font	Ils/Elles ont fait	Ils/Elles faisaient

LES VERBES EN -TRE

Connaitre

PRÉSENT DE L'INDICATIF	PASSÉ COMPOSÉ	IMPARFAIT
Je connais	J'ai connu	Je connaissais
Tu connais	Tu as connu	Tu connaissais
Il/Elle/On connait	Il/Elle/On a connu	Il/Elle/On connaissait
Nous connaissons	Nous avons connu	Nous connaissions
Vous connaissez	Vous avez connu	Vous connaissiez
Ils/Elles connaissent	Ils/Elles ont connu	Ils/Elles connaissaient

! Ce verbe peut aussi s'écrire **connaître**, avec un accent circonflexe sur le **i**.

Mettre

PRÉSENT DE L'INDICATIF	PASSÉ COMPOSÉ	IMPARFAIT
Je mets	J'ai mis	Je mettais
Tu mets	Tu as mis	Tu mettais
Il/Elle/On met	Il/Elle/On a mis	Il/Elle/On mettait
Nous mettons	Nous avons mis	Nous mettions
Vous mettez	Vous avez mis	Vous mettiez
Ils/Elles mettent	Ils/Elles ont mis	Ils/Elles mettaient

LES VERBES EN -ENDRE

Prendre

PRÉSENT DE L'INDICATIF	PASSÉ COMPOSÉ	IMPARFAIT
Je prends	J'ai pris	Je prenais
Tu prends	Tu as pris	Tu prenais
Il/Elle/On prend	Il/Elle/On a pris	Il/Elle/On prenait
Nous prenons	Nous avons pris	Nous prenions
Vous prenez	Vous avez pris	Vous preniez
Ils/Elles prennent	Ils/Elles ont pris	Ils/Elles prenaient

! Les verbes **comprendre**, **apprendre**, etc., se conjuguent de la même façon.

Attendre

PRÉSENT DE L'INDICATIF	PASSÉ COMPOSÉ	IMPARFAIT
J'attends	J'ai attendu	J'attendais
Tu attends	Tu as attendu	Tu attendais
Il/Elle/On attend	Il/Elle/On a attendu	Il/Elle/On attendait
Nous attendons	Nous avons attendu	Nous attendions
Vous attendez	Vous avez attendu	Vous attendiez
Ils/Elles attendent	Ils/Elles ont attendu	Ils/Elles attendaient

! Les verbes **rendre**, **dépendre**, etc., se conjuguent de la même façon.

FUTUR SIMPLE	CONDITIONNEL	PRÉSENT DU SUBJONCTIF	IMPÉRATIF
Je ferai Tu feras Il/Elle/On fera Nous ferons Vous ferez Ils/Elles feront	Je ferais Tu ferais Il/Elle/On ferait Nous ferions Vous feriez Ils/Elles feraient	Que je fasse Que tu fasses Qu'il/elle/on fasse Que nous fassions Que vous fassiez Qu'ils/elles fassent	Fais Faisons Faites
Je connaitrai Tu connaitras Il/Elle/On connaitra Nous connaitrons Vous connaitrez Ils/Elles connaitront	Je connaitrais Tu connaitrais Il/Elle/On connaitrait Nous connaitrions Vous connaitriez Ils/Elles connaitraient	Que je connaisse Que tu connaisses Qu'il/elle/on connaisse Que nous connaissions Que vous connaissiez Qu'ils/elles connaissent	Connais Connaissons Connaissez
Je mettrai Tu mettras Il/Elle/On mettra Nous mettrons Vous mettrez Ils/Elles mettront	Je mettrais Tu mettrais Il/Elle/On mettrait Nous mettrions Vous mettriez Ils/Elles mettraient	Que je mette Que tu mettes Qu'il/elle/on mette Que nous mettions Que vous mettiez Qu'ils/elles mettent	Mets Mettons Mettez
Je prendrai Tu prendras Il/Elle/On prendra Nous prendrons Vous prendrez Ils/Elles prendront	Je prendrais Tu prendrais Il/Elle/On prendrait Nous prendrions Vous prendriez Ils/Elles prendraient	Que je prenne Que tu prennes Qu'il/elle/on prenne Que nous prenions Que vous preniez Qu'ils/elles prennent	Prends Prenons Prenez
J'attendrai Tu attendras Il/Elle/On attendra Nous attendrons Vous attendrez Ils/Elles attendront	J'attendrais Tu attendrais Il/Elle/On attendrait Nous attendrions Vous attendriez Ils/Elles attendraient	Que j'attende Que tu attendes Qu'il/elle/on attende Que nous attendions Que vous attendiez Qu'ils/elles attendent	Attends Attendons Attendez

Transcriptions

Unité 1

Piste 1 - 2B

- **Mère** : Tu as fait tes bagages ?
- **Baptiste** : Je suis en train de les faire, là.
- **Mère** : Tu n'oublies rien, hein ? Vérifie que tu as ton passeport, ton billet d'avion, ton chargeur de portable…?
- **Baptiste** : Passeport, billet, chargeur. J'ai tout !
- **Mère** : Tu as pris le cadeau pour Malik et Samia ?
- **Baptiste** : Oui. Comment j'aurais pu oublier ? Je vais passer quinze jours chez eux. Évidemment que j'ai pris le cadeau. Tu sais où j'ai mis mon maillot ? Je le retrouve pas.
- **Mère** : Tu veux vraiment te baigner en cette saison ? Il ne fait pas très chaud au Maroc en octobre.
- **Baptiste** : On sait jamais !
- **Mère** : Prends quand même ton blouson. On sait jamais.
- **Baptiste** : Ok.
- **Mère** : Mais… Tu prends aussi ton ordinateur ?
- **Baptiste** : Oui, bien sûr.
- **Mère** : Enfin Baptiste, à quoi ça sert ? Tu pars en vacances. Tu vas faire plein de choses. Tu ne vas même pas l'allumer.
- **Baptiste** : Ouais Man', je sais que ça sert à rien. Mais je ne peux pas partir sans lui. J'ai besoin de l'avoir tout le temps avec moi, même si ce n'est pas utile. C'est idiot mais c'est comme ça.

Piste 2 - 2A

- **Kenza** : Allo ?
- **Solène** : Oui, Kenza, c'est Solène. Ça va ?
- **Kenza** : Ça va, ça va. Et toi ? C'est pas trop dur le mois d'août à Paris ?
- **Solène** : Non, ça va. J'ai des amis qui sont venus de Bretagne. Ils sont encore là et on n'arrête pas. En fait, on fait tout ce que je ne fais pas d'habitude. Aujourd'hui, on a pique-niqué à Montmartre. Hier, on a pris le bateau-mouche.
- **Kenza** : Attends. Toi, t'as pris le bateau-mouche ?
- **Solène** : Oui. On est même allés à Paris Plages. J'ai bronzé ! J'ai la marque du maillot.
- **Kenza** : J'hallucine ! Me dis pas que tu es allée au Louvre…
- **Solène** : Pas encore. Mais on y va demain. Et

ils m'ont emmenée tout en haut de la tour Montparnasse. J'étais jamais montée. C'était la première fois…
- **Kenza** : En haut de la tour Montparnasse ? C'est cool !
- **Solène** : J'avais un peu le vertige. Mais, c'était vraiment beau. J'avais jamais vu Paris comme ça ! On profite pas de Paris pendant l'année mais j'ai profité de la visite de mes amis bretons pour découvrir plein de trucs.
- **Kenza** : Ça, c'est original !

Piste 3 - Phonétique

1. Je vais à Toulouse cet été. Et vous, vous allez où ?
2. Tu as vu cette formule ? L'hôtel est inclus dans le billet de train.
3. Tu es revenue ? Alors, ces vacances à Bruxelles ? Tu t'es bien amusée ?
4. C'est un souvenir de Tombouctou. J'ai un cousin qui est allé là-bas en août.

Unité 2

Piste 4 -2B

- **Marc** : Bonjour.
- **Lucas** : Bonjour, ça va ?
- **Marc** : Oui, justement je voulais vous voir.
- **Lucas** : Ah, pourquoi ?
- **Marc** : Et bien… j'ai vu votre message et… Bon, enfin, c'est moi qui ai appelé la police samedi dernier. Mais vous faisiez vraiment trop de bruit et vous empêchiez tout le monde de dormir.
- **Lucas** : Désolé. On s'est pas rendu compte. Mais pourquoi n'êtes-vous pas venu nous demander de faire moins de bruit ? On aurait baissé la musique.
- **Marc** : J'étais très énervé. Parce que, bon… moi aussi j'ai été jeune. Mais je ne faisais pas la fête tous les jours.
- **Lucas** : Oh, on fait pas la fête tous les jours non plus.
- **Marc** : Non, mais tous les week-ends. Et on ne peut plus dormir le week-end depuis que vous êtes dans l'immeuble. Vous ne pourriez pas finir plus tôt ?
- **Lucas** : Désolé. Bon, écoutez, on va faire un marché. Demain, c'est vendredi. On a des amis qui viennent. Vous pouvez venir et quand vous voulez vous

coucher, on baisse la musique. Promis !

- **Marc** : Euh... Oui, bon, pourquoi pas ?
- **Lucas** : Comme ça, vous verrez qu'on s'amuse bien... !

Piste 5 -1B

- **Magali** : Alors, sur cette photo, ce sont mes amis du snowboard. On se retrouve tous les hivers à la montagne. À gauche c'est Mounia, derrière il y a Loïc et à droite c'est Jean. Et Anne est cachée derrière Jean.
- **Pauline** : Whaou, j'adore ces masques, ils sont vraiment cool !
- **Magali** : Ah oui, j'étais avec mon père. On était au Sénégal en vacances ; ça fait deux ans maintenant. J'aimerais bien y retourner.
- **Pauline** : Et elle, c'est qui ?
- **Magali** : C'est Laura, ma meilleure amie. Il y a six mois, on est allées à un festival d'électro. On s'est bien amusées, mais on n'a pas beaucoup dormi...
- **Pauline** : Et lui, c'est ton ami?
- **Magali** : Il s'appelle Lucas. C'était l'année dernière à Brest. Depuis qu'on se connaît, on passe toutes nos vacances en Bretagne.
- **Pauline** : Elle est jolie cette fille.
- **Magali** : C'est ma correspondante espagnole : Inés. Elle habite à Saragosse. Son lycée et le mien font des échanges depuis longtemps. Elle est venue passer quinze jours ici et, depuis, on s'écrit sur Internet. C'est mon amie virtuelle.

Piste 6 - Phonétique

1. Cette actrice a brillé dans un rôle de mère de famille dans la série *Sous le soleil*.
2. Aujourd'hui on a des invités : les Dupuis et leurs amis. Je vais cuisiner pour huit.
3. Moi, je vais voir tous les films d'action au cinéma. Et des fois je vais les voir deux fois.
4. Lui, c'est le voisin d'une fille qui travaille avec la sœur du coiffeur d'en bas de chez moi.

Unité 3

Piste 7 - 2A

- **Michael** : Aide-moi à ranger les courses.
- **Paul** : Qu'est-ce que t'as acheté ?
- **Michael** : J'ai pris des carottes, un sac de patates, et un kilo de brocolis.
- **Paul** : Tu as pris que des légumes ?
- **Michael** : C'est bon pour la santé. On n'en mange pas assez dans cette maison. Toi surtout.
- **Paul** : Il y a quoi dans les canettes, là ?
- **Michael** : C'est du jus de citron pétillant, biologique et sans sucre. Et j'ai pris une bouteille de lait aussi. Tu devrais petit-déjeuner le matin, tu sais. Tu te sentiras plus en forme si tu manges le matin.
- **Paul** : Si tu le dis... Et la pâte à tartiner, elle est où ?
- **Michael** : C'est trop gras. T'as essayé la confiture ? Je t'ai pris un pot de confiture de fraise.
- **Paul** : Et tous ces fruits, c'est toi qui va les manger ? Tu sais que j'aime pas les poires ?
- **Michael** : Oh, tu pourrais faire un effort. C'est bon les fruits : les poires, les pommes, le raisin. C'est plein de vitamines.
- **Paul** : Bon, si je comprends bien, tu me mets au régime.
- **Michael** : Non, je ne te mets pas au régime. Tu n'as pas besoin de maigrir, mais il faudrait que tu manges mieux, Paul. Tu manges beaucoup trop gras et tu bois du soda toute la journée. Tu refuses de goûter les trucs que tu connais pas, comme un enfant de cinq ans. C'est pas sain.
- **Paul** : Ça va, ça va. J'ai compris. C'est quoi ce paquet de biscuits ? Je t'avais demandé une plaque de chocolat !
- **Michael** : Tu en manges déjà trop. Le chocolat, il faut le manger par carrés, pas par plaques. Alors j'ai pris des biscuits au blé complet parce que...
- **Paul** : Oh non, au secours ! Je veux changer de maison !

Transcriptions

Piste 8 - 2A

● **Marion** : Alors, je fais du skate avec mes copains tous les samedis. On se retrouve sur une grande place pour s'entraîner, ou alors au skatepark. On fait des figures dans les airs ou en glissant le long des rampes et des escaliers. Le skate, c'est un art. Et c'est un état esprit : ça va avec de la musique, des codes, des choses qu'on partage. C'est un style de vie quoi. Je nage aussi. Par contre, je vais toujours seule à la piscine. La natation, ça fait vraiment du bien. Je me sens mieux après. Quand j'ai besoin de me détendre, je vais à la piscine, mais quand je veux me défouler, je vais au skatepark. C'est complètement différent.

○ **Jonathan** : Bon, moi je fais du basket depuis quatre ans. Au début, j'étais pas très emballé, mais finalement ça m'a plu. On dit qu'il faut être grand pour faire du basket, alors qu'il faut surtout être rapide et faire attention aux autres. Je fais aussi de la course. Je vais courir deux fois par semaine. Ça fait travailler tout le corps. Mais la course, c'est un sport très solitaire. Le basket, au contraire, c'est un sport d'équipe !

Piste 9 - Phonétique

1. Elle aime bien le basket.

2. Je préfère faire du foot que du rugby.

3. C'est important d'apprendre à respirer.

4. Je vais jouer au volley. Tu viens ?

Unité 4

Piste 10 - 2A

● **Maya** : Alors Pierre, dans cette scène, tu es au travail, donc tu mets ta tenue de serveur parisien.

○ **Pierre** : Ok, j'ai apporté une cravate noire et une chemise blanche.

● **Maya** : Elle est à manches longues ou à manches courtes, la chemise ?

○ **Pierre** : À manches longues.

● **Maya** : Parfait. Mais retrousse-toi les manches, ça fera plus vrai.

○ **Pierre** : Ok. Par contre, comme je t'ai dit dans mon message, je n'ai pas trouvé de gilet ni de tablier blanc.

● **Maya** : Ne t'inquiète pas ! J'ai prévenu Alex et il les a apportés. Et qu'est-ce que tu as comme chaussures ?

○ **Pierre** : Des baskets noires. Je me suis dit qu'un serveur, c'est debout toute la journée, alors il vaut mieux des chaussures de sport.

● **Maya** : Ça marche. Va te changer, on t'attend.

Piste 11 - 2A

● **Amine** : Alors, tu arrives par la gauche. Clément est sur le banc ; il te tourne le dos. Il est en train d'écrire un message sur son portable. Tu avances lentement vers lui, sans faire de bruit. Tu ne regardes pas la caméra, tu regardes Clément.

○ **Émilie** : Et je souris ?

● **Amine** : Oui, tu souris. Tu as l'air très heureuse et très amoureuse.

○ **Émilie** : OK. Et qu'est-ce que je fais ?

● **Amine** : Tu t'approches de lui, tu te penches un peu et tu poses doucement tes mains sur ses yeux. Là, Clément fait semblant d'être surpris parce que son personnage ne t'a pas entendue venir. Et toi, tu lui dis : « C'est qui ? »

○ **Émilie** : « C'est qui ? »

● **Amine** : Plus fort et plus joyeux. Tu es très heureuse. Il t'a manqué. Ça doit se voir.

○ **Émilie** : « C'est qui ? »

● **Amine** : Oui, comme ça, je le veux exactement comme ça. Et lui, il a reconnu ta voix. Il se retourne et il te regarde très étonné. On voit qu'il est très ému. Il te dit : « Tu es revenue ? » Il n'y croit pas. Et là, tu fais ton plus beau sourire. Fin de la scène.

Piste 12 - Phonétique

1. C'est bon !

2. C'est bon !

3. C'est bon ?

4. C'est bon...

5. Ça va !

6. Ça va ?

7. Ça va...

8. Ça va !

Unité 5

Piste 13 - 2A

- **Julien :** Je m'appelle Julien, j'ai 23 ans. J'avais envie de faire quelque chose d'utile à côté de mes études. Alors, depuis un an je suis bénévole dans une association qui aide des jeunes en difficulté. J'accompagne un jeune de mon quartier qui s'appelle Simon. Il a des problèmes au lycée, donc il a besoin de soutien scolaire. Mais il a surtout des problèmes dans sa famille, avec ses parents. Donc il a besoin qu'on l'écoute ; il faut que quelqu'un soit là pour lui. Alors on se voit deux heures par semaine. Je lui montre comment faire un CV, une lettre de motivation. Maintenant, il se sent accompagné ; il prend confiance en lui. Il y a plein de jeunes qui ont des problèmes. Alors il faut qu'on soit solidaires si on veut faire changer les choses.

Piste 14 - 2A

- **Animateur :** Aujourd'hui, nous allons parler d'un nouveau phénomène de société : les banques du temps. Dans les banques du temps, on échange non pas de l'argent, mais du temps. Et surtout des savoir-faire. Lise et Aurèle échangent des cours depuis trois mois grâce à une banque du temps. Ils sont venus nous parler de leur expérience.

- **Lise :** Alors, je voulais apprendre la guitare et plutôt que de chercher une école de musique, j'ai mis une annonce dans une banque du temps. Et c'est comme ça que j'ai trouvé Aurèle, qui joue de la guitare et qui voulait améliorer son niveau d'italien. Comme je suis d'origine italienne et qu'on le parle à la maison, je lui ai proposé d'échanger des cours d'italien contre des cours de guitare. C'est du troc, en fait. Tu me donnes quelque chose et je te donne autre chose. Au lieu de payer des cours, on échange du temps. C'est gratuit.

- **Animateur :** Et vous, Aurèle? Comment en êtes-vous arrivé à faire cet échange avec Lise ?

- **Aurèle :** Plutôt que de ne rien faire de mes soirées, je me suis dit que j'allais apprendre une langue. Ça faisait longtemps que je voulais apprendre l'italien, mais je n'avais jamais eu l'occasion. Je suis allé dans la banque du temps de mon quartier et j'ai vu l'annonce de Lise. Elle cherchait des cours de guitare et elle parlait italien. Alors, je lui ai proposé de troquer des cours d'italien contre des cours de guitare. Et au lieu d'être tous les deux des élèves, on est à la fois l'élève et le prof l'un de l'autre. C'est sympa !

- **Animateur :** Merci beaucoup pour ces témoignages. Bonne continuation à tous les deux !

Piste 15 - Phonétique

- Un jeune européen sur trois a été victime de cyberbullying.
- C'est très grave ! Il faut faire quelque chose.
- Et si on faisait une campagne d'information ?

Unité 6

Piste 16 - 1B

- **Laura :** La musique, je peux m'en passer. Je préfère le cinéma, les films. Si j'ai le choix entre regarder une série et écouter un disque, je vais plutôt regarder la série. Alors, toute seule, j'écoute pas beaucoup de musique. Mais j'en écoute quand même dans des fêtes ou chez des amis.

- **Yanis :** Moi, j'aime beaucoup la musique *live*, aller voir des groupes en concert, être dans l'ambiance. Je peux vivre sans musique, mais je préfère vivre avec. C'est très social pour moi la musique. J'aime découvrir des nouveaux morceaux grâce à des amis. Je regarde les clips qu'on me conseille. J'aime danser dans les fêtes et les concerts. La musique, c'est une chose qui se partage.

- **Louise :** La musique, c'est ma vie. J'aime tellement ça que j'en écoute tout le temps : dans la rue, dans le bus, dans mon lit le soir. Et j'ai plein d'albums, des CD, des vinyles, des tas de chansons dans mon ordinateur, dans mon téléphone. C'est si important pour moi, que je n'imagine pas vivre sans musique. J'en ai besoin pour être bien.

Transcriptions

Piste 17 - 2B

- **Lydia** : T'écoutes quoi comme musique ?
- **Ben** : J'écoute de tout. Mais je préfère quand même le hip-hop. J'aime les textes de rap. J'aime les morceaux qui parlent de la réalité, des problèmes d'aujourd'hui, les chansons qui font vraiment passer un message. Même si ça m'arrive d'aimer des morceaux plus légers, juste pour danser, ou des chansons dans des langues que je ne connais pas.
- **Lydia** : Ben, moi aussi, ça dépend des moments. Le rap, j'aime bien. Quand je vais courir, par exemple, j'écoute du rap pour me motiver. Mais je reste quand même une fan de rock.
- **Ben** : T'aimes tous les styles de rock ?
- **Lydia** : Ah oui ! J'aime le métal bien lourd, hardcore, même si j'écoute aussi des trucs moins violents. Je peux même écouter de la pop. Et, ces derniers temps, j'écoute de la fusion entre rock et musiques traditionnelles. Il y a des supers groupes : indiens, libanais, maliens... Je te les ferai écouter si tu veux.

Piste 18 - Phonétique

Un p'tit coin d'parapluie
Contre un coin d'paradis
Elle avait quelque chose d'un ange
(George Brassens, « Le Parapluie », BD Music)

Quand il me prend dans ses bras
Qu'il me parle tout bas
Je vois la vie en rose
(Édith Piaf, « La vie en rose », BD Music)

Que reste-t-il de nos amours
Que reste-t-il de ces beaux jours
Une photo vieille photo de ma jeunesse
(Charles Trénet, « Que reste-t-il de nos amours ? », BD Music)

CARTE DE LA FRANCE

Le monde de la Francophonie

Canada

Canada
Québec

○5 ❀

Canada
Nouveau-
Brunswick

Saint-Pierre-et-Miquelon (Fr.)

▲

OCÉAN ATLANTIQUE

Mexique

Rép. dominicaine

■

Haïti

Guadeloupe (Fr.)
Dominique
Martinique (Fr.)
Sainte-Lucie

Costa Rica

Guyane (Fr.)

OCÉAN PACIFIQUE

Polynésie française (Fr.)

Wallis-et-Futuna (Fr.)

Uruguay

Maroc   Tunisi

Cap-Vert   Mauritanie   Mali   Nig

▲ Sénégal
Guinée-Bissau   Burkina
                Guinée   Faso
                                   Bénin
                           Côte   Togo
                           d'Ivoire
                  Ghana   Guinée équatoriale   Ca
             São Tomé-et-Príncipe ■

54 États et gouvernements membres de l'OIF

Albanie • Principauté d'Andorre • Arménie • Royaume de Belgique • Bénin • Bulgarie • Burkina Faso • Burundi • Cambodge • Cameroun • Canada • Canada-Nouveau-Brunswick • Canada-Québec • Cap-Vert • République centrafricaine • Comores • Congo • République démocratique du Congo • Côte d'Ivoire • Djibouti • Dominique • Égypte • Ex-République yougoslave de Macédoine • France • Gabon • Grèce • Guinée • Guinée-Bissau • Guinée équatoriale • Haïti • Laos • Liban • Luxembourg • Madagascar • Mali • Maroc • Maurice • Mauritanie • Moldavie • Principauté de Monaco • Niger • Roumanie • Rwanda • Sainte-Lucie • Sao Tomé-et-Principe • Sénégal • Seychelles • Suisse • Tchad • Togo • Tunisie • Vanuatu • Vietnam • Fédération Wallonie-Bruxelles

3 États associés
Chypre • Ghana • Qatar

23 États observateurs
Autriche • Bosnie-Herzégovine • Costa Rica • Croatie • République dominicaine • Émirats arabes unis • Estonie • Géorgie • Hongrie • Kosovo • Lettonie • Lituanie • Mexique • Monténégro • Mozambique • Pologne • Serbie • Slovaquie • Slovénie • République tchèque • Thaïlande • Ukraine • Uruguay

Inset map (Europe):

Estonie
Lettonie
Lituanie
Pologne
▲ Belgique
Féd. Wallonie-Bruxelles
Luxembourg
Rép. tchèque
Ukraine
Slovaquie
Autriche
Moldavie
☾ ○ ▲ 5 ○
Hongrie
France
▲ Suisse
Slovénie
Roumanie
Croatie
Bosnie-Herzégovine
Serbie ■
Monaco
Montténégro Kosovo
Bulgarie
Andorre
Albanie
Ex-Rép. yougoslave
de Macédoine
Grèce
Chypre

Main map:

Géorgie
Arménie
Liban
Égypte
Qatar
Émirats arabes unis
Djibouti ▲
Vietnam ■
Laos
Thaïlande
Cambodge
dém. ngo
Rwanda
Burundi
Seychelles
OCÉAN INDIEN
Comores
Mayotte (Fr.)
Maurice
Mozambique
Madagascar
Réunion (Fr.)
ricaine
Vanuatu
Nouvelle-Calédonie (Fr.)

Produit par l'OIF, Direction de la communication et des partenariats • Conception **LUCIOLE** • Février 2015

Legend:

☾ Organisation internationale de la Francophonie (siège, Paris)

▲ Représentations permanentes (Addis-Abeba, Bruxelles, Genève, New York)

■ Bureaux régionaux (Bucarest, Haïti, Hanoi, Libreville, Lomé)

✿ Institut de la Francophonie pour le développement durable (IFDD, Québec)

○ Assemblée parlementaire de la Francophonie (APF, Paris)

Agence universitaire de la Francophonie (AUF)
○ Rectorat et siège (Montréal)
▲ Rectorat et services centraux (Paris)

5 TV5MONDE (Paris)
5 TV5 Québec Canada (Montréal)

☽ Université Senghor (Alexandrie)

○ Association internationale des maires francophones (AIMF, Paris)

▲ Conférence des ministres de l'Éducation de la Francophonie (Conférmen, Dakar)

▲ Conférence des ministres de la Jeunesse et des Sports de la Francophonie (Conféjes, Dakar)

À PLUS 3

Livre de l'élève

AUTEURS
Katia Brandel (unités 3 et 6), Antony Sevre (unités 2 et 4),
Virginie Karniewicz (jeux)

Auteures de *Pourquoi Pas 3*
Michèle Bosquet, Yolanda Rennes

RÉVISION PÉDAGOGIQUE
Katia Coppola, Pablo Garrido

COORDINATION ÉDITORIALE
Marie Rivière, Gaëlle Suñer

CONCEPTION GRAPHIQUE
Xavier Carrascosa, Roser Cerdà

MISE EN PAGE
Aleix Tormo Trilla

COUVERTURE
Luís Lujan

ILLUSTRATIONS
Laura Desiree Pozzi (jeux), Martín Tognola (p. 43 et 45)

CORRECTION
Isabelle Meslin

REPORTAGE PHOTOGRAPHIQUE
Oscar García Ortega

ENREGISTREMENTS
Studio d'enregistrement : Blinds Records

REMERCIEMENTS
Un immense merci à Ginebra Caballero, Alicia Carreras, Fatiha Chahi, Estelle Foullon, Agustín Garmendia, Antonio Melero et Laia Sant qui, par leur implication et partage d'expérience, ont permis la réalisation de ce manuel. Merci à celles et ceux qui ont contribué de près ou à distance à cette publication, notamment : Moritz Alber, Nathalie Borgé, Mateo Caballero, Esther Dalmau, Nohelia Diaz Villarreal, Rosario Fernández, Charline Menu, Núria Murillo, Neus Sans, Sergi Troitiño et la smala Rivière. Pour leur amabilité et leur réactivité, nous tenons à remercier Ariane Moffatt et Simone Records, BD Music, Enki Bilal et les Éditions Casterman, le ministère de l'Éducation Nationale, International House, le Festival International du Court Métrage de Clermont-Ferrand, le Mobile Film Festival, Slalom Productions, Tetra Media Fiction, Les Productions du Trésor et le Très Court International Film Festival. Merci enfin à nos « voix » et à nos modèles, disponibles et sympathiques.

Crédits (photographies, images et textes)

Unité 1 : p. 1 Themaxx23/Dreamstime ; Evgeniy Fesenko/Dreamstime ; Photosimo/Dreamstime ; Ventura69/Dreamstime ; Jirkaejc/Dreamstime ; p. 11 Ekaterina Pokrovsky/Dreamstime ; David Franklin/Dreamstime ; Juan Moyano/Dreamstime ; Pixelrobot/Dreamstime ; Viktor Nikitin/Dreamstime ; Jakub Krechowicz/Dreamstime ; Adrian Ciurea/Dreamstime ; Maksym Yemelyanov/Fotolia ; Zash/Dreamstime ; Ozornina/Dreamstime ; pixelrobot/Fotolia ; ylivdesign/Fotolia ; p. 12 Nicolas Guérin/Wikimedia Commons ; Pierre-Yves Beaudouin/Wikipedia ; Steve Guest/Dreamstime ; Radu Razvan Gheorghe/Dreamstime ; Jjb029/Dreamstime ; p. 13 denys_kuvaiev/Fotolia ; p. 14 Dmitry Rukhlenko/Dreamstime ; Petarneychev/Dreamstime ; irinagrigorii/Fotolia ; PinkBlue/Fotolia ; Alexroz/Dreamstime ; robert lerich/Fotolia ; p. 5 Rasulov/Fotolia ; ChantalS/Fotolia ; Tehnik83/Dreamstime ; p. 16 Tanialerro/Dreamstime ; Bruno Cremont Champardennaisaxonais/Flickr ; Ken Eckert/Wikimedia Commons ; p. 17 Traumrune/Wikimedia Commons ; AM29/iStock ; p. 20 Ivansmuk / Dreamstime – **Unité 2 :** p. 24 Didier Baverel/Getty Images ; Valery Hache/Getty Images ; p. 24 Frantogian/ Wikimedia Commons ; p. 25 Eyewave/Dreamstime ; p. 26 Les Petits Mouchoirs (2010) © Les Productions du Trésor/Europacorp/Caneo Films/M6 Films ; p. 27 Mary Katherine Wynn/Dreamstime ; Zabiamdeve/Dreamstime ; 4contrast/Fotolia ; Dzmitry Marhun/Dreamstime ; Hellogif ; p. 28 piskunov/iStock ; Yunuli123/Dreamstime ; shalamov/iStock ; Yuri_Arcurs/iStock ; svetikd/iStock ; svetikd/iStock ; p. 30 Sommai Sommai/Dreamstime ; p. 32 Charlotte Schousboe/Tetra Media Fiction ; Serge Benhamou/Getty Images ; Motel Monstre/Slalom Productions ; p. 33 Société Radio-Canada - Ponopresse/Getty Images ; Société Radio-Canada - Ponopresse/Getty Images ; JJ Georges/Wikipedia ; p. 34 Noam Armonn/Dreamstime ; p. 36 Susan Chiang/iStock – **Unité 3 :** p. 38 Alenin/Dreamstime ; M.studio/Fotolia ; Food-images/Fotolia ; p. 39 Thibault Renard/Fotolia ; Jirkaejc/Dreamstime ; Christian Jung/Dreamstime ; Mario Kelichhaus/Dreamstime ; Kenishirotie/Dreamstime ; Johnfoto/Dreamstime ; All Vectors/Fotolia ; la_puma/Fotolia ; p. 40 0608195706081957/Fotolia ; operator1975/Fotolia ; Worldshots/Dreamstime ; Mudretsov Oleksandr/Dreamstime ; p. 41 Onigiri/Fotolia ; ramonespelt/Fotolia ; yanlev/Fotolia ; Monkey Business/Fotolia ; p. 42 Odua/Dreamstime ; Antonio Guillem/Dreamstime ; Pablo631/Dreamstime ; Bsanchezsobrino/Dreamstime ; p. 43 lzf/Fotolia ; saschanti/Fotolia ; Diego Vito Cervo/Dreamstime ; Luchschen/Dreamstime ; p. 46 Elenathewise/iStock ; Couverture de l'ouvrage Le Sommeil du monstre d'Enki Bilal (1998, © Casterman), reproduite avec l'aimable autorisation de l'auteur et des Éditions Casterman ; HeY/Fotolia ; Zkruger/Dreamstime ; Jean Miaux - JM - « L'actualité en dessins » http://actuendessins.fr ; p. 47 Mgkuijpers/Dreamstime ; Axel Antas-Bergkvist/Unsplash ; CallallooAlexis/Fotolia ; Hel080808/Dreamstime ; p. 48 Syda Productions /Dreamstime – **Unité 4 :** p. 52 Oscar García Ortega/Reportage ; p. 53 Minacarson/Dreamstime ; p. 54 Quad Productions/Album ; p. 56 Jerico/Album ; p. 57 StudioThreeDots/iStock ; Kir_Prime/iStock ; p. 60 fergregory/iStock ; Mobile Film Festival ; Mobile Film Festival ; Très Court International Film Festival ; p. 61 Festival du Court-Métrage de Clermont-Ferrand ; Blutch-Sauve qui Peut Le Court Métrage/Festival du Court-Métrage de Clermont-Ferrand ; p. 62 franckreporter/iStock ; p. 64 vm/iStock – **Unité 5 :** p. 66 Axelsaffran/Wikimedia Commons ; p. 67 Roberto Giovannini/Dreamstime ; ClarkandCompany/iStock ; p. 69 MachineHeadz/iStock ; p. 70 Andreblais/Dreamstime ; Paul Mckinnon/Dreamstime ; p. 71 somartin/Fotolia ; Bildlicht Fotografie/Fotolia ; Auremar/Dreamstime ; Auremar/Dreamstime ; Auremar/Dreamstime ; p. 74 Monkey Business Images /Dreamstime ; Thomas Sauzedde/Wikimedia Commons ; Ludovic Etienne/Wikimedia Commons ; p. 75 Adrian Tombu/Wikimedia Commons ; p. 76 Mauricio Jordan De Souza Coelho/Dreamstime ; michaeljung/iStock – **Unité 6 :** p. 80 buffygoodman/iStock ; Eva Katalin Kondoros/iStock ; Edyta Pawlowska/Dreamstime ; p. 81 Ruslan Olinchuk/Dreamstime ; Artman/Dreamstime ; p. 82 Meunierd/Dreamstime ; p. 83 Karen Wunderman/Dreamstime ; p. 84 paroles de « Debout » et pochette de l'album 22h22 reproduites avec l'aimable autorisation d'Ariane Moffatt et Simone Records ; p. 87 (audios) et p. 124 (transcriptions) G. Brassens, « Le Parapluie » (extrait)/BD Music ; É. Piaf, « La Vie en rose » (extrait)/BD Music ; C. Trénet, « Que reste-t-il de nos amours ? » (extrait)/BD Music ; p. 88 Mlsra/Wikimedia Commons ; Norman Bruderhofer/Wikimedia commons ; Anterovium/Fotolia ; p. 89 Ubern00b/Wikimedia commons ; Csák István/Fotolia ; kathon/Fotolia ; p. 90 jophil/iStock ; p. 92 Filippo Bacci/iStock – **Précis :** p. 105 David Revilla/Difusión ; p. 106 Imagination13/Dreamstime – **Cartes :** p. 125 Brad Pict/Fotolia ; p. 126-127 Luciole/OIF

© Les auteurs et Difusión, Centre de Recherche et de Publications de Langues, S.L., 2015
Réimpression : janvier 2020
ISBN édition internationale : 978-84-16273-20-1
ISBN édition IF Maroc : 978-84-17260-61-3

Imprimé dans l'UE

www.emdl.fr/fle

MIXTE
Papier issu de
sources responsables
FSC® C019520

DANGER
LE
PHOTOCOPILLAGE
TUE LE LIVRE